写给孩子的资治通鉴

星汉 编著
王珏玥 绘

石油工业出版社

2

图书在版编目（CIP）数据

写给孩子的资治通鉴. 2 / 星汉编著；王玞玥绘. —北京：石油工业出版社，2023.2
　ISBN 978-7-5183-5585-3

Ⅰ.①写… Ⅱ.①星… ②王… Ⅲ.①《资治通鉴》—青少年读物 Ⅳ.①K204.3-49

中国版本图书馆CIP数据核字（2022）第168895号

写给孩子的资治通鉴2

选题策划：李　丹
责任编辑：李　丹
出版发行：石油工业出版社
　　　　　（北京市朝阳区安华里二区1号楼　100011）
网　　址：www.petropub.com
编 辑 部：（010）64523581
图书营销中心：（010）64523649
经　　销：全国新华书店
印　　刷：三河市嘉科万达彩色印刷有限公司

2023年2月第1版　　2023年2月第1次印刷
710毫米×1000毫米　开本：1/16　印张：10
字数：80千字

定价：29.50元
（如发现印装质量问题，我社图书营销中心负责调换）
版权所有，侵权必究

前言
QIAN YAN

《资治通鉴》是北宋史学家司马光历时19年，主持编撰的我国第一部编年体通史，记载了从战国至五代共1362年的史事。书中以时间为纲，以事件为目，纲举目张，时索事叙。为了做到叙述详备，司马光等人在编撰此书时，在每一事件中留下一段空白，以随时补充材料，然后再考证异同，删除烦冗。因此，此书清晰地记述了历史重大事件的前因后果，以及事件发生的环境，使读者能够清楚地了解事件的发展过程，而无突兀之感。

完成此书后，司马光将其上呈神宗皇帝。神宗皇帝给予了高度评价，称"鉴于往事，有资于治道"，于是此书定名为《资治通鉴》。

司马光以为统治者提供借鉴为出发点，希望统治者能够以前世的兴衰为鉴，考证当今为政得失。然而，此书的功效绝非仅仅于此，它甚至可以帮助人们修身、齐家、治国、平天下，宋末元初的学者

胡三省就评价此书说："为人君而不知《通鉴》，则欲治而不知自治之源，恶乱而不知防乱之术；为人臣而不知《通鉴》，则上无以事君，下无以治民；为人子而不知《通鉴》，则谋身必至于辱先，作事不足以垂后。"

《资治通鉴》是司马光等人从17本正史以及野史、谱录、别集、碑志等书籍中，辨别异同，存是去非，因此有极高的史料价值，在我国史学界占有极为重要的地位。该书内容以政治、军事和民族关系为主，兼有经济、礼乐、历数、天文、地理和历史人物评价，博大精深、详略得当。

正因为《资治通鉴》体大思精，导致少年读者不可骤然全得，只当"如饮河之鼠，各充其量而已"。为此，我们特意编撰了这套《写给孩子的资治通鉴》，将其中的精彩内容直观地呈现出来，希望能引导读者们更方便地"饮水"。

原著在叙述历史事件时不可避免地将一件事的来龙去脉分散地列在不同的时间下，使得事件的叙述不够连续。为了聚拢线索，我们将原本在原著中分散的故事或人物串联起来，并加入一些相关知识介绍，让读者更系统地感受到这部历史经典的魅力。

目录 MU LU

汉文帝治国 / 001

张释之秉公执法 / 007

七国之乱 / 013

细柳将军周亚夫 / 019

汲黯刚直不阿 / 024

谦逊的卫青 / 030

飞将军李广 / 036

霍去病封狼居胥 / 042

苏武牧羊 / 048

霍光辅政 / 054

监狱里走出来的皇帝 / 060

品格高尚的丙吉 / 065

夏侯胜狱中传道 / 071

百闻不如一见 / 077

赵广汉治贼 / 082

为汉解忧的公主 / 087

第一位女使节 / 093

明犯强汉者，虽远必诛 / 099

昭君出塞 / 105

为色杀子的汉成帝 / 111

王莽改制 / 116

昆阳之战 / 121

刘秀称帝 / 127

东汉第一功臣 / 133

大树将军 / 138

董宣强项 / 143

伏波将军马援 / 148

汉文帝治国

刘邦死后，汉惠帝继位。汉惠帝就是刘邦逃亡中屡次被扔下车的长子，他的母亲是吕后。

吕后是一个很有政治手腕的女强人，而汉惠帝生性懦弱，所以朝中大权落入吕氏家族的手里。汉惠帝死后，吕后更加疯狂地分封吕氏家族，想让吕氏取代刘氏皇族。跟随刘邦打天下的大臣们不能容忍自己辛辛苦苦打下来的江山就这样拱手交到别人手里，所以吕后一死，汉高祖的老臣陈平和周勃联合起来诛灭了吕氏的势力。

消灭诸吕之后，众大臣想选择一位能干的皇子来继承王位，可是找来找去也没有发现合适的人选。原来吕后为了巩固自己的地位，杀掉了刘邦好几个儿子，出色的、能干的，都被杀害。

正在大臣们议论纷纷的时候，不知道谁提了一句："你们觉得代王怎么样？"大家这才想起远在边疆的代

地（今内蒙古、山西和河北的交界处）还有一位皇子，他就是刘恒。

刘恒是刘邦的第四个儿子，他的母亲薄姬出身低微。刘邦建立汉朝后，选了很多宫女进宫，薄姬就是其中的一个。刘恒一出生，薄姬就遭到刘邦的冷落。

不过，薄姬本身很喜欢道家那种"清静无为"的思想，对后宫争宠的斗争并不热衷。失宠之后，她就每天看书来打发时间。受到母亲的影响，刘恒从小就很谨慎，从不惹是生非，大臣们都很喜欢他。他七岁的时候，几十位大臣保举他做代王，薄姬就跟着儿子到代地生活了。

代地与其他皇子的封地相比算是偏远地区，不过刘恒也因祸得福，躲过了吕氏的迫害，他那种不争名逐利的态度让吕后没有把他列入"黑名单"。

大臣们觉得刘恒可能没有其他几位皇子出众，但是他宽厚仁慈，在当地的口碑也很好。很快，朝中大臣就派出使者去请刘恒到都城继位。

刘恒即位，是为汉文帝，马上宣布大赦天下，全国百姓可以举行宴会，庆祝五天。

汉文帝在位的时候，有一年天上出现了两次日食。那时候人们都比较迷信，汉文帝赶紧召集群臣商议：

汉文帝治国

"上天生养万民，又选了皇帝作为自己的代表。如果君王缺乏仁义，做事不公平，上天就会用异常的天象来警告他。现在连续两次出现这种现象，一定是我哪些地方没有做好，上天在谴责我。你们赶紧想想，我做错了什么事情，请及时告诉我。"

没过多久，汉文帝就下令各地官员整顿政务，一定要减少徭役，不要干扰老百姓正常的生产和生活。除了这些，他还减少军队的开支，因为边境上匈奴时时进犯，不能撤出边防的守军，所以他就撤销了宫廷的卫队。

文帝十分节俭，他在位的二十多年里，宫殿、行宫、车驾甚至衣服都没有增加。有一次，他忽然很想建一座露台，就找来工匠准备开工。动土之前，工匠们把建造露台所需要的钱数告诉了文帝，文帝听完皱了皱眉头说："算了吧，这个露台不能建！"原来这座露台的预算是一百两黄金，相当于十户中等人家的家产。

文帝也从来不穿绫罗绸缎，总是穿粗布衣服，即使是他宠爱的妃子，也决不允许穿拖到地面的长裙，宫里的帷帐也没有绣花的图案。

古时候，皇帝一即位就要考虑自己死后的事情，其中最重要的就是修建陵墓，这方面汉文帝也不能免俗。为了不因修陵而劳民伤财，汉文帝下令不修建高大的陵

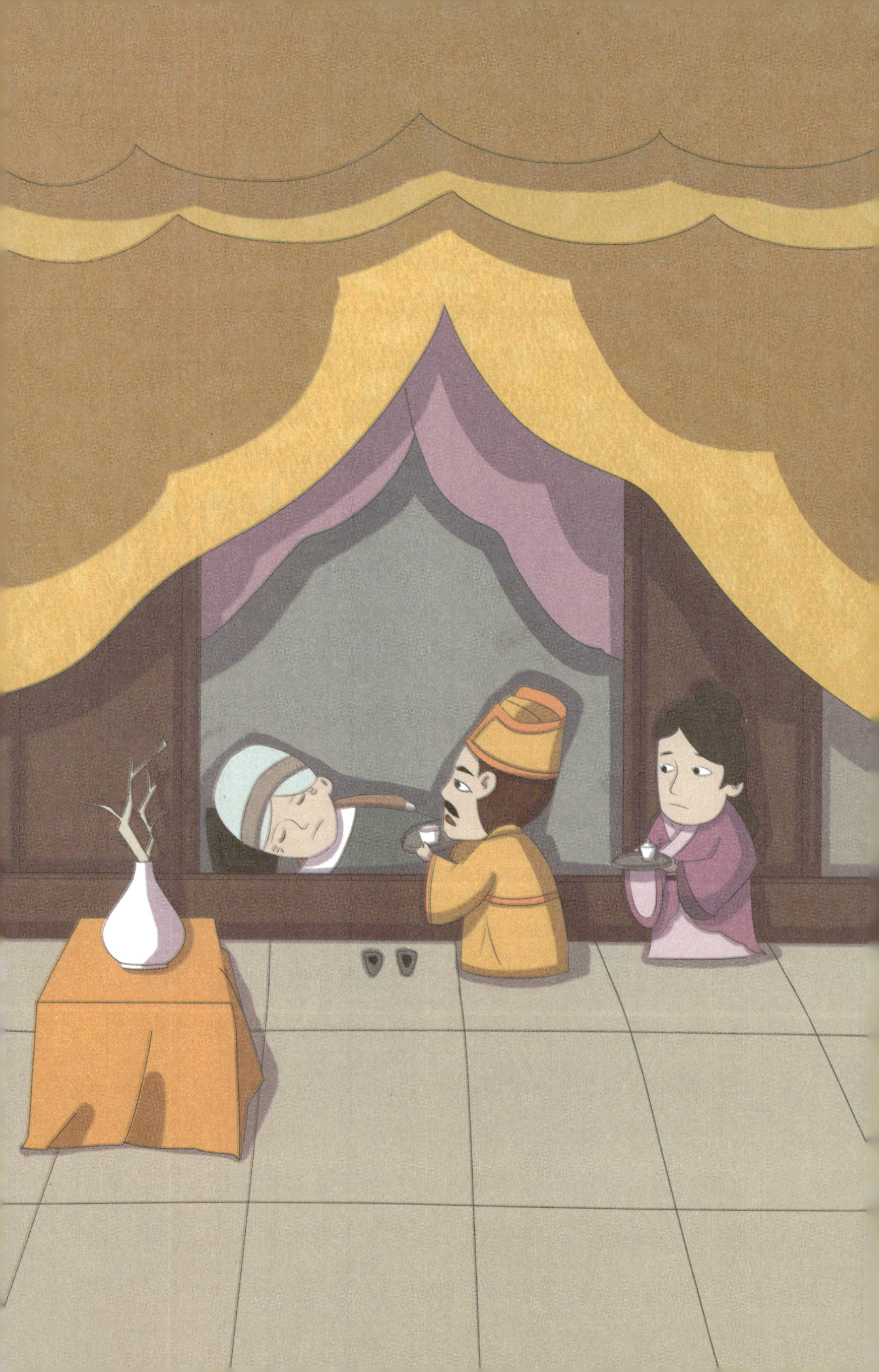

墓，随葬品也不许使用金、银、铜等贵重的金属，只允许使用瓦器和陶瓷。

除了节俭，汉文帝还奉行"以德服人"的治国之策。有一次，南越王尉佗造反，汉文帝知道战争一旦开始，受苦的是各地的老百姓，包括南越的少数民族。汉文帝把尉佗的兄弟请到国都，没有因为尉佗造反惩罚他们，反而好好地招待了他们一番，还赐给他们很多财物。尉佗听说这件事后，十分感动，就取消了帝号，表示愿意臣服汉文帝。

汉文帝勤俭节约，用仁义教化百姓，无论做什么都从百姓的利益出发。几年之后，汉朝一扫秦末那种政治混乱、百姓生活贫困的局面。百姓生活富足，有礼有节，中华大地又焕发出勃勃生机。

【知识拓展】

尉佗，恒山郡真定县（今河北正定）人。秦朝南海龙川令，秦亡后，自立为南越王，采取一系列措施发展当地经济文化，汉高祖赞誉尉佗的政绩，封其为南越王。尉佗接受诏封，奉汉称臣。吕后当朝，对南越实行货物禁运，尉佗三次上书，无效，遂独立，自号"南越武帝"。汉文帝时，尉佗取消帝号，臣服汉室。他治越近80年，为开发岭南、维护多民族国家统一做出了重要贡献。

张释之秉公执法

张释之年轻的时候和他的哥哥张仲一起生活。张仲家境较为富裕,资助弟弟做了一个小官。张释之侍奉汉文帝十年都籍籍无名,没有得到升迁。张释之担心继续浪费哥哥的钱财最终让哥哥破产,就想辞官回家,做点小买卖。不过,袁盎知道张释之确实是有才之人,不想让他这样离开,就去请求汉文帝让张释之做个谒者。

一次,汉文帝出行,张释之随行。来到虎圈后,汉文帝询问书册上记录的禽兽情况,一连十几个问题,上林尉都回答不出来。而上林尉手下一个小官却对答如流,汉文帝非常欣赏:"做官吏不是应该这样吗?"于是就想任命那个小官做上林尉。

张释之上前劝谏:"陛下认为绛侯周勃是怎样的人呢?"

"是令人尊敬的长者啊!"

"东阳侯张相如是怎样的人呢？"

"也是个让人尊敬的长者。"

"您把这两个人都称为令人尊敬的长者，可是这两个人议事的时候都不善言谈，做官难道就凭一张嘴吗？人们争相夸夸其谈，没有一点用处。陛下还记得秦末时候官吏们争着做表面文章的后果吗？"汉文帝听了这些话，惭愧地说："你说得对！"

前177年，张释之升任廷尉，成为协助皇帝处理司法事务的最高审判官。张释之认为廷尉应当公正执法，否则天下都会有法不依，手无寸铁的百姓便会失去倚仗。张释之执法严明，即使与皇帝发生分歧，也要力求维护法律的公正。

一次，汉文帝的车辇行至中渭桥时，突然从桥下窜出一个人，皇帝的御马受惊。文帝大怒，将这个冒犯圣驾的人交给张释之治罪。经过审讯，张释之知道，此人躲在桥下，原本就是为了躲避皇上的车驾，因为急于回家，误以为车马已经过去，所以才冲出来，不想却惊吓了御马。张释之判定，这个人是一时失误，违反了"清道令"，判以罚金后便释放了。

这件事情发生不久后，又有一件事情使得汉文帝大为恼怒。有一个窃贼将汉高祖庙中的玉环盗走，汉文帝

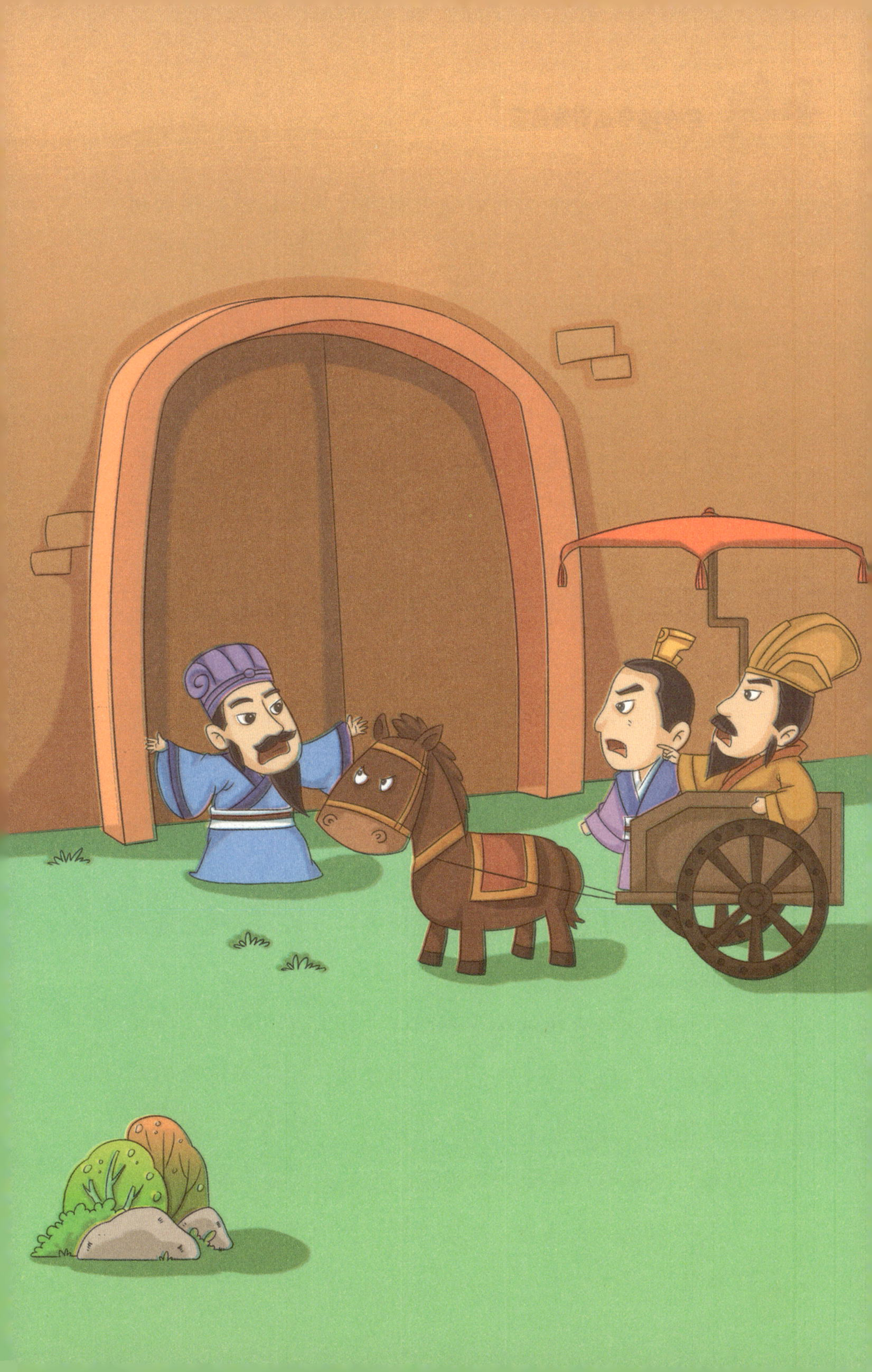

怒不可遏，下令全国通缉这个胆大包天的窃贼。很快窃贼就被抓获了，汉文帝谕令张释之严加惩治。依据当时法律，盗窃宗庙的珍宝、服饰、器物等当判以"斩首弃市"，张释之便依此律判决。

汉文帝知道这个判决之后，大为震怒，责问张释之："这个盗贼如此无法无天，竟然偷到皇家祖庙，将祭献高祖的玉环盗走。判以'斩首弃市'，无法消弭他的滔天大罪，应当灭其全族。"

张释之见汉文帝大发雷霆，脱下官帽叩头谢罪，依然据理力争道："根据法律规定，将窃贼判处'斩首弃市'就是最重的惩罚。到底是判斩首弃市罪还是判灭族罪，应该按照罪行情节的轻重来定。如果现在对盗窃宗庙中圣物的人判以灭族，那么以后如果有个大胆狂徒去宗庙皇陵，那陛下又将怎么判决呢？"

汉文帝听完张释之的话，思之再三认为张释之据情据理，于是接受了张释之的意见。

由于张释之执法公正严明，一切判决都依照法律并严格执行，既不以个人的好恶来论罪，也不受环境的左右，因此，在张释之担任廷尉期间，许多冤假错案得以避免，甚至有"张释之为廷尉，天下无冤民"的说法。

张释之为人正直，执法严明，而且恭谨谦虚，受到世人敬重。一位姓王的老者，擅长老庄学术，是一个有德有才但隐居不愿做官的人。这位老者被召入朝廷，三公九卿全部站在朝堂中，这位老者突然发话："我的袜子松开了。"然后对着张释之说："帮我穿好袜子！"张释之闻言，没有恼怒，而是跪下给老者穿好袜子。这件事情过后，有的人就对这位姓王的老者说："你不知道张廷尉掌管着刑法吗？为什么偏偏要侮辱他，让他帮你穿袜子呢？"姓王的老者回答："我年纪大，而且身份卑微，我忖度自己没能力帮助张廷尉。张廷尉是当今天下名臣，我之所以故意侮辱张廷尉，让他跪着给我穿袜子，是想体现他的品德，让天下人对他更加敬重。"别人听完老者的解释，都认为老者是个贤士，而对张释之则更加敬重。

【知识拓展】

廷尉，掌刑狱，系三公九卿的九卿之一，汇总全国断狱数，主管诏狱和修订律令的有关事宜。秦汉时期，以廷尉为最高司法官吏。隋朝设大理寺，并置大理寺卿一职。唐朝沿用隋制，虽然名称数次改变，却不再恢复廷尉旧称。自宋朝至清朝一直都用大理寺卿这一名称。

七国之乱

吴王刘濞,是高帝兄长刘仲的儿子。高帝平定天下七年后,封刘仲为代王。后来匈奴攻打代国,刘仲丢弃自己的封国逃走,走小路跑回洛阳。

天子考虑到大家都是至亲骨肉,不忍心依法制裁,就废黜了他的王号,贬他为郃阳侯。

高帝十一年(前196年)的秋天,淮南王英布起兵造反,向东兼并了荆国,挟持其军队西渡淮水,攻击楚国。高帝亲自率军诛讨。

刘仲的儿子刘濞当时是沛侯,年方二十岁,强壮有力,以骑将的身份跟随高帝,在蕲县西边的会甄打败了英布的军队。英布逃走。

荆王刘贾被英布杀死,他没有后嗣。刘邦担心无人能镇压强横的会稽百姓,见刘濞勇猛,就封他为吴王,吴国五十多城归他管辖。

封赏、授印完毕，刘邦发现刘濞有反相，摸着刘濞的背，说："大汉50年后，东南方向有叛乱，是你吗？我们是一家人，千万不能反！"

刘濞听了刘邦的话，边磕头边说："我不敢。"

吴国铜矿丰富，又临近大海，借朝廷允许铸钱之机，刘濞广纳天下亡命之徒，开矿铸钱，煮海为盐。仅凭铸钱和煮盐两项，吴国顿时暴富，百姓的钱多得用不完。

此前，文帝在位时，吴国太子刘贤前来朝见。文帝宴请刘贤，两人饮酒下棋。刘贤家财万贯，为人傲慢骄横，期间刘贤轻慢文帝，文帝提起棋盘就掷向刘贤，结果刘贤死了。

深感歉意的文帝命人给刘贤办丧，让刘贤的随从抬刘贤回吴国。爱子去世，刘濞很伤心，对随从说："刘贤和皇帝是一家人，死在长安就埋在长安，不用抬回吴国了。"

自此以后，刘濞厌恨朝廷，渐渐地不守作为藩臣的礼节，长期称病不朝见。

文帝觉得刘濞长期不朝见的真正原因是刘贤之死，而非身体病痛，找人一验，果然是因为丧子之故。此后，每次刘濞派到长安的人都遭到关押，有去无回。刘濞更加害怕，每到朝见之日都称病不去。

文帝见刘濞多年不来朝见,直接派人去请,刘濞还是称病拒绝。文帝盘问吴国使者,使者回答:"看清池中的游鱼,对谁都没有好处。吴王刚装病就被发觉,见皇上责难之切害怕被诛,不知道怎么办,希望陛下给他一次机会。"

深明其意的文帝,马上释放所扣留的吴使,赏赐刘濞手杖,恩准刘濞可以不来朝见。

吴国因铸钱煮海而暴富,百姓不用缴纳赋税,天下百姓纷纷投奔吴国。汉法规定,有钱人可以买人代服徭役。吴国百姓钱多,纷纷用钱买人代服徭役,国内劳动力奇缺。刘濞广开方便之门,无论是谁,来者必收。吴国的财力之富足,可与朝廷抗衡。

景帝三年(前154年),楚王刘戊在为薄太后服丧期间,不守规矩,晁错借机请求诛杀他。汉景帝赦免刘戊,削他东海郡。接着,晁错又借罪削赵王刘遂的常山郡,借胶西王刘印卖爵之罪,削刘印的六个县。刘戊、刘遂和刘印实力不足,不敢挑战朝廷,一起将目光投向实力最强的吴王刘濞。

景帝下诏削藩,削藩行动正式开始了。诸侯收到消息纷嚷喧哗,顷刻间天下骚动。刘濞担心被削,约集齐王、淄川王、胶东王、济南王、济北王造反,以"诛晁错,

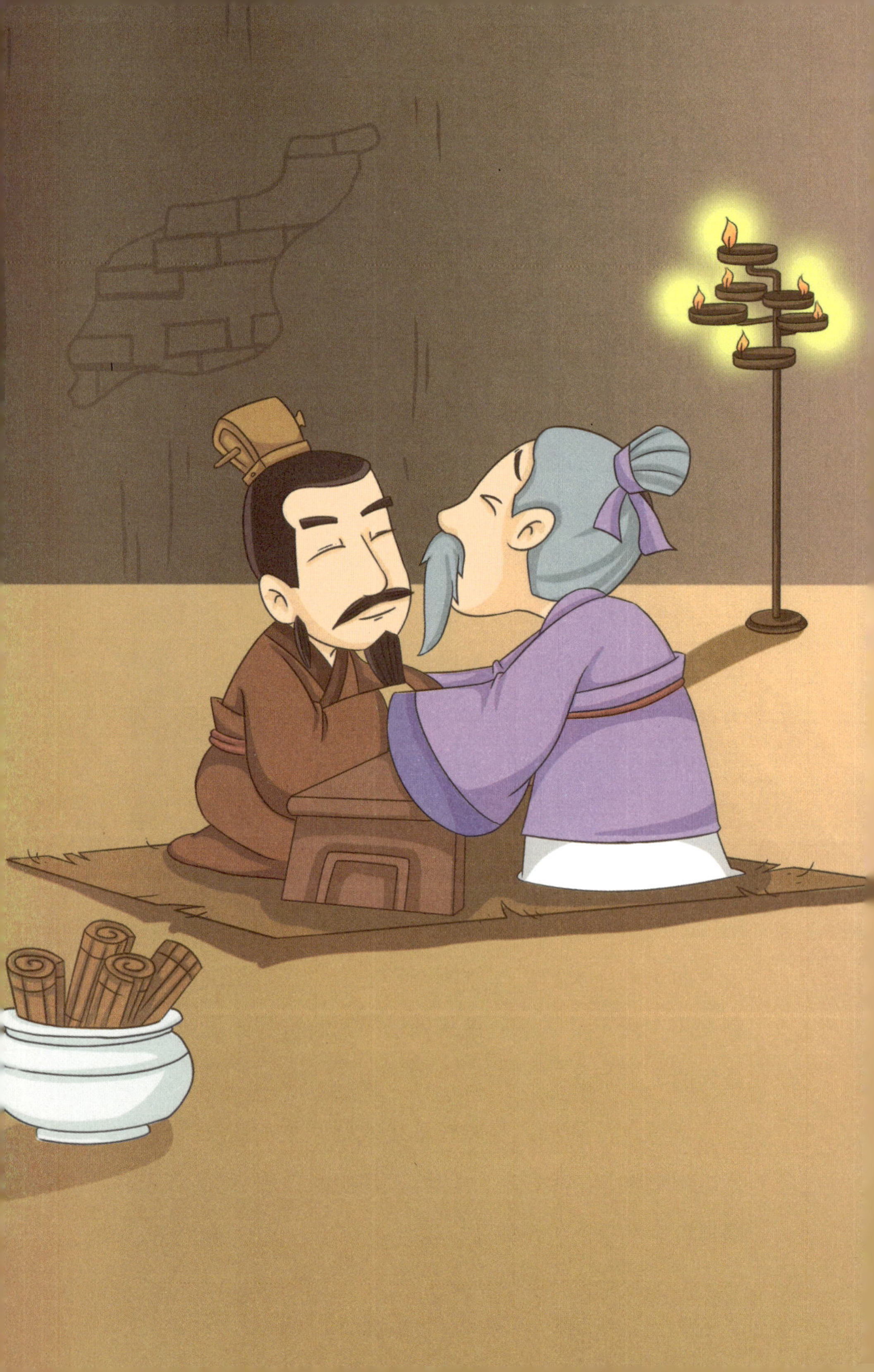

清君侧"的名义，举兵西向。与此同时，赵王遣使北上约匈奴出兵，吴王派人南下约闽越、东越出兵，东越发兵相随。

吴楚七国造反的消息传到长安，晁错建议汉景帝御驾亲征，曾当过吴国丞相的袁盎向景帝献策诛杀晁错，满足叛军要求，景帝采纳了袁盎之计，腰斩晁错于东市。

但七国军队并没有停下进攻的步伐，汉景帝这才下决心武力镇压叛乱，派太尉周亚夫率三十六位将军领兵抵御吴楚联军，由于梁国的坚守和周亚夫所率汉军的进击，叛乱在三个月内被平定，刘濞兵败逃亡被杀。

刘濞一死，楚王刘戊兵败，自杀。栾布击败胶东、胶西、济南和淄川四国，解救齐国；胶东王、胶西王、济南王和淄川王兵败伏诛。赵王自杀。

一开始，吴王刘濞带头造反，统率吴国和楚国的联军，联合齐、赵两国的军队。正月起兵作乱，过了三个月就全线溃散。

一场七国乱，七王就此亡。

【知识拓展】

闽越：闽越国，位于今福建（包括广东潮汕、梅州）。战国时期被楚国所灭的越人在逃到该地时，与当地的原住民共同建立的一个国家。闽越国拥有十分发达的冶铁技术，还有较为发达的建筑业、纺织业、造船业、制陶业和交通业，军事力量也十分强大。

细柳将军周亚夫

周勃去世之后，他的长子继承了爵位，并娶了汉朝的公主。几年之后，两人之间产生了矛盾，刚好这个长子还犯了杀人罪，汉文帝一怒之下剥夺了周家的爵位和封地。过了一段时间，汉文帝感念周勃的功劳，挑选以贤能著称的周亚夫继承了周家的爵位。

有一年，匈奴大规模进犯汉朝北部边境，汉文帝急忙派遣将领去保卫边关。这样一来，京城就有些空虚，于是汉文帝又挑选了三路军队驻扎在长安附近的灞上、棘门和细柳守卫皇宫，其中守卫细柳的正是周亚夫。

汉文帝为了鼓舞士气，亲自到三路军队里慰问。他先到灞上，再到棘门。这两处都不用通报，一见是皇帝的车马来了，都主动放行，驻守在那里的将军都亲自出来迎接。

汉文帝最后来到了细柳的军营，只见营中的将士都

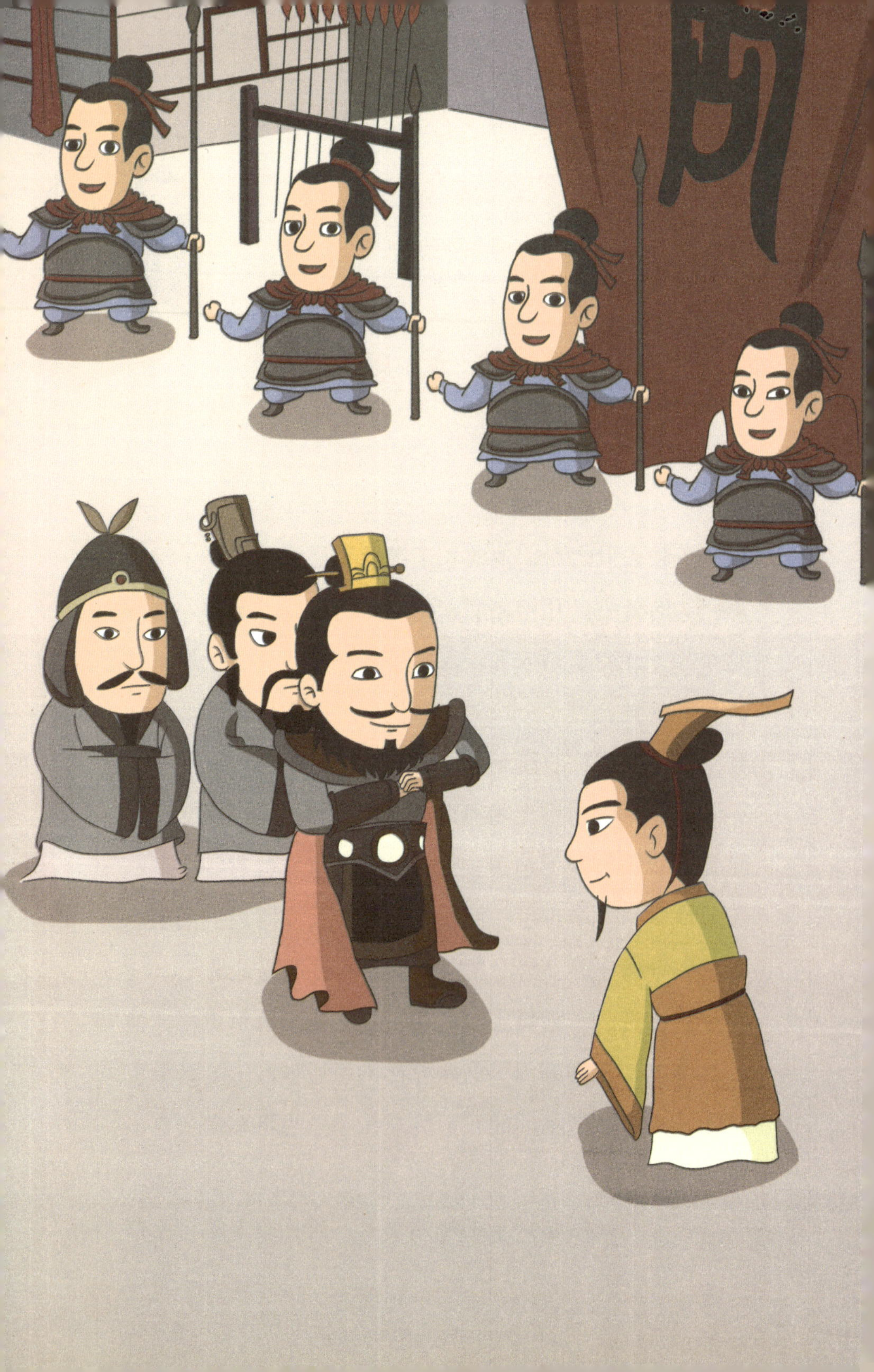

细柳将军周亚夫

穿着铠甲，手里握着兵器严阵以待。汉文帝的车马正准备进入兵营，军门的守卫拦住了他们。汉文帝拿出皇帝的符节交给守卫，让他去通报，周亚夫这才命令手下的士兵打开军营大门。刚打开大门，又有一位士兵上来告诉他们说："我们将军有规定，在军营里不允许车马快速行驶。"汉文帝只好命令侍者拉紧缰绳缓缓前进。终于来到周亚夫的营帐前，汉文帝等到的不是受宠若惊的跪拜，而仅仅是一个拱手的礼节。穿着盔甲拿着武器的周亚夫说："穿戴盔甲的将士不能对您行跪拜的礼仪，请允许我用军礼参见陛下！"汉文帝为之动容，神色变得庄重肃穆，手扶着车前的横木，向将士们致意。犒劳完军队后，汉文帝任命周亚夫为中尉，负责京城的治安。

汉文帝去世后，汉景帝继位。在景帝三年（前154年），因为汉景帝听从晁错的建议进行削藩，引起了以吴、楚为首的"七国之乱"。关键时刻，汉景帝想起了汉文帝临终前的叮嘱："如果国家出现危难，周亚夫是担任统帅的不二人选。"于是当即任命周亚夫为太尉，率军平定吴、楚的叛乱。

周亚夫建议先用梁国的军队拖住吴兵，然后截断叛军粮道，这样就能一举制服吴、楚，汉景帝采纳了他的

建议。周亚夫派人截断吴、楚军队的后路，阻断他们的粮道，于是吴国军队改攻打周亚夫的军队，但周亚夫只是坚守营垒，不肯迎战。

吴军粮道断绝，为了尽快结束战斗，吴军多次骚扰周亚夫的军营，又扬言攻击周亚夫的东南角，周亚夫则命令将士加强西北角的防御，果然，吴军派出精锐部队攻击西北角，因为汉军早有防备而没有得逞。

吴、楚两国军队向前不得战斗，粮食又供给不上，军中出现大量逃兵，于是吴王下令退兵。周亚夫则率领精锐部队追击，大败吴、楚军队，最后吴王逃跑，楚王自杀，用时不过一个多月。

周亚夫平叛有功，深得汉景帝器重，五年后升为丞相。

【知识拓展】

晁错：汉文帝时，为太常掌故，曾奉命从故秦博士伏生受《尚书》；后为太子家令，侍奉太子，有辩才，被称为"智囊"。太子即位为汉景帝后，晁错得到重用，曾多次上书景帝削除藩王势力以加强中央集权，因而引起"七国之乱"。七国以"诛晁错，清君侧"为名，威逼景帝。景帝听从袁盎之计，将晁错腰斩。

晁错强行削藩，冒着极大的风险。他的父亲问他："皇帝刚登基，为什么要大幅度削藩呢？"晁错说："不这么做，天子不会受到尊敬，刘氏宗庙将不会安宁。"他的父亲说"刘家是安稳了，晁家却危险了"，之后服毒自杀。

汲黯刚直不阿

汲黯是汉武帝时期的名臣，曾被汉武帝称为"社稷之臣"。他为人耿直，不能容忍别人的缺点和过失，经常当面指责别人。这一点，就连雄才大略的汉武帝也忌惮三分。

有一次，汉武帝就在朝堂上领教了汲黯的厉害。那天，汉武帝在朝堂上宣布自己要对百姓施行仁义，汲黯听了，马上高声说："其实陛下的内心充满了不为人知的欲望，现在却对外宣称要施行仁义。您真的能像尧、舜那样治理天下吗？"一句话惹得汉武帝大怒，他沉默了好长时间，才宣布退朝。当时很多大臣都为汲黯捏了一把汗。下朝后，有大臣劝告汲黯，汲黯却说："天子设置公卿大臣，不就是为了让他们辅佐朝政吗？难道只是想让他们顺从天子的意思吗？我在这个位置上，就算我再爱惜自己的生命，也不能因此做损害朝廷的事啊！"

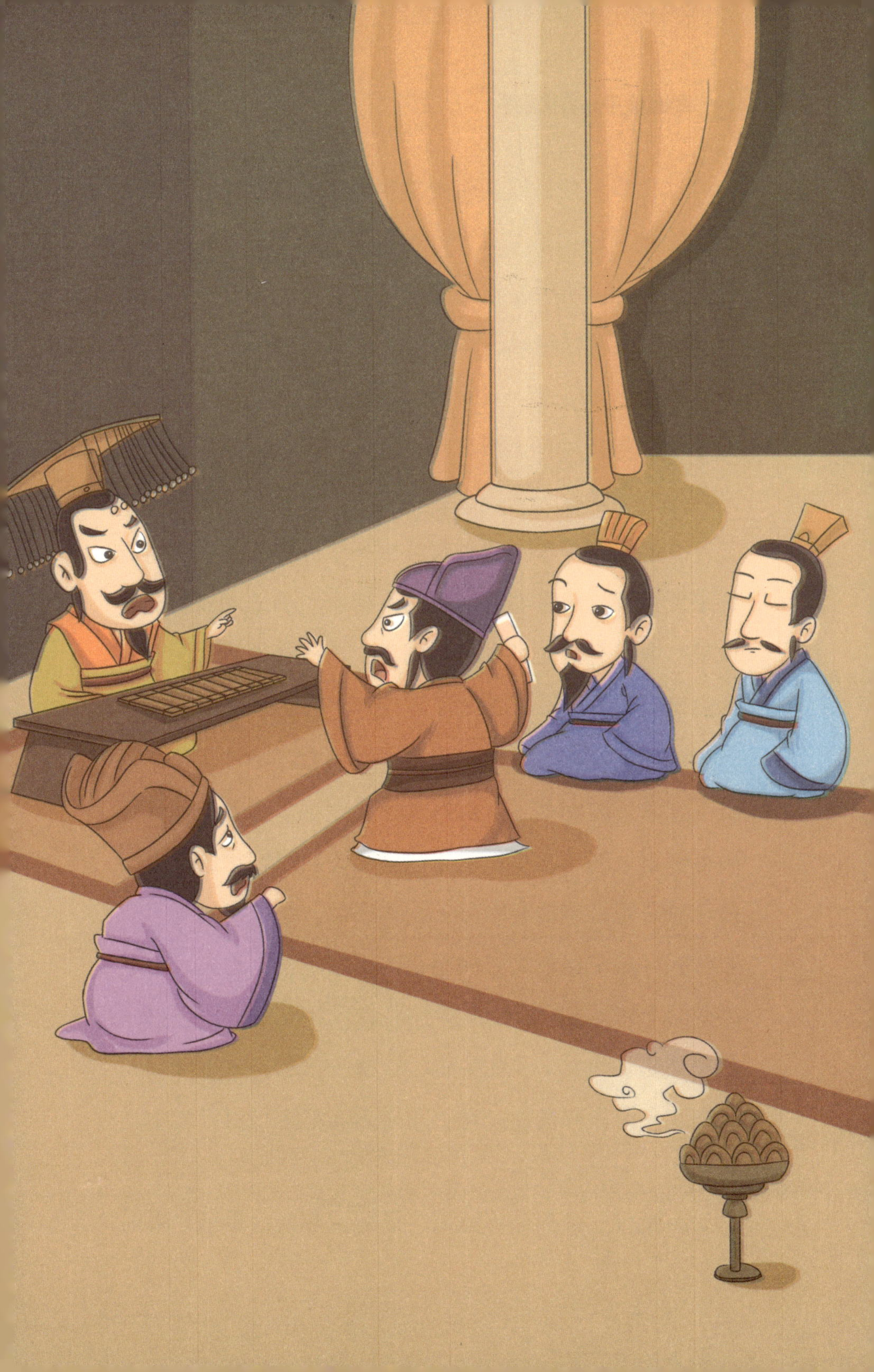

这件事情后，汉武帝更加怕他了。汉武帝曾经蹲在厕所里接见过大将军卫青，也经常衣冠不整地见丞相公孙弘，但是一听说是汲黯来了，就会马上站起来整理仪容，没有准备好绝对不露面。

还有一次，有一个地方发生火灾，大火蔓延，烧毁了一千多户，皇上派汲黯去了解情况。汲黯回来说："只是普通人家失火，没什么大事！倒是那个地方很多贫苦百姓正遭受旱灾和洪灾，饿死了好多人，我觉得这件事更重要，就拿着您给我的令牌命令当地的官员开仓放粮。我没有事先征求您的同意，请您惩罚我！"汉武帝觉得汲黯做得对，就没有惩罚他。

汲黯经常直言进谏，说话不看场合，常常让汉武帝下不来台，时间长了，汉武帝便有些烦了，就把他调到离都城很远的东海郡做太守，让他离自己远远的。汲黯到任后总是把事情交给手下的人去做，他自己处理事情的时候，总是保证大方向不错，小细节不太追究。不过汲黯的身体不太好，经常躺在床上不出门，即便是这样，东海郡还是焕发出勃勃生机，一提到汲黯，东海郡的人都跷起大拇指称赞他。皇上知道后又把汲黯召回朝中，还封了一个大官给他。

汲黯对皇帝都毫不留情，更别说那些官员了。张汤出任廷尉后,掌管司法事务,而他在断案时总是迎合汉武帝的心意去处理案件,以至于经常修改法律。张汤断案不公,且极为狡诈,但是因为他的巧智,所以总能博得好名声。汲黯看不惯张汤狡诈的作风,曾在汉武帝面前责备他说:"你身为正卿,既不能发扬先帝的功业,也不能遏制百姓的邪恶欲望,就知道让别人吃苦受罪完成你的事业,还把高祖定下的规定乱改一气,你这样的人,就该断子绝孙!"汲黯时常和张汤争辩,张汤辩论起来,总爱深究条文,苛求细节。汲黯则出言刚直严肃,志气昂奋。他怒不可遏地骂张汤说:"天下人都说绝不能让刀笔之吏身居公卿之位,果真如此。如果依张汤之法行事,必令天下人恐惧得双足并拢站立而不敢迈步,眼睛也不敢正视了!"

淮南王刘安阴谋反叛的时候,唯独畏惧汲黯,他说:"朝廷大臣中,只有汲黯敢于犯颜直谏,能够尽到一个臣子的本分为忠义而死,很难用不正当的手段迷惑他。至于耍嘴皮子的丞相公孙弘之流,除掉他们,就如同摇落树枝上的枯叶一样简单。"

汲黯火爆的性格让大臣们都很畏惧他,也阻碍了他的仕途。在他官位已经很高的时候,张汤和公孙弘还只是一般的小官,后来这两人不断升迁,很快就超过了他。

就连汲黯手下的小官官位也赶上他了,汲黯很不满,就在朝廷上责问皇上,说:"陛下用人就像堆柴草,后来的要堆在上面。"皇上虽然没说话,但是觉得很没面子。

一次直言进谏的时候,汲黯又得罪了皇上,不久就被免官了。几年后,淮阳郡政治混乱,没人愿意去治理,这时候汉武帝想起了汲黯。过了不久,那个地方就变得井井有条,而汲黯最后也在那里去世。

【知识拓展】

刘安：汉高祖刘邦之孙，十六岁时袭封为淮南王。他召集门客，一同撰写《鸿烈》（后世称《淮南子》）。塞翁失马的寓言就出自这本书。

汉武帝时，刘安因被告谋反而畏罪自杀。但是在民间传说中，刘安是炼丹"得道成仙"，而且他没服完的仙丹被家里的鸡、狗吃了，就流传出"一人得道，鸡犬升天"的传说。

相传豆腐就是刘安发明的。刘安在淮南八公山上炼丹时，不小心将石膏混入豆浆里，豆浆变为豆腐。从此，刘安成为豆腐行业的祖师爷。

谦逊的卫青

卫青的父亲姓郑,是平阳侯家的一个小官。他与一个叫卫媪(ǎo)的婢女私通生下了卫青。卫青还有一个同母异父的姐姐叫卫子夫。

卫子夫被选入皇宫,逐渐得到汉武帝的宠幸,卫青也由此得到重用。

前129年,匈奴兴兵南下,掠夺百姓。汉武帝任命卫青为车骑将军,迎击匈奴。卫青率军直捣龙城,斩获匈奴七百多人,是四支出征汉军中唯一一支取得胜利的军队。卫青的这次胜利意义重大,是自汉朝建立以来第一次对匈奴作战取得胜利。汉武帝大喜,赐封卫青为关内侯。

匈奴吃了败仗后,心里非常不甘。匈奴右贤王集结重兵,再次卷土南下,先杀死了辽西郡的太守,掳去百姓两千多人,又入侵渔阳郡和雁门郡,在两地大肆杀掠。

谦逊的卫青

汉武帝命卫青率军三万从高阙出塞攻打匈奴，其他几路汉军配合打击。匈奴右贤王认为汉军路遥，不能迅速赶到，所以放松戒备，终日饮酒作乐。没想到，卫青率军连夜行军，很快将他的大营团团围住。右贤王惊慌失措，连忙带着几百名精兵冲出包围圈向北逃跑了。汉军虽然一路追赶，但还是让右贤王逃跑了。此次战争，汉军俘虏了一万多匈奴兵，还有各种牲畜近一百万头。卫青带兵返回边塞，汉武帝的使臣早已携带着大将军的印信在那等候。

等卫青回到朝中，汉武帝又增加了他的封地，还想将他的三个儿子封为列侯。卫青坚决推辞说："我有幸在军中效力，仰仗陛下神威获得大胜。我已经获得封赏，而我的儿子尚在襁褓之中，并没有尺寸功劳，功劳来自全军将士。如果陛下封赏没有功劳的人，却遗忘了有功之士，就不能激励将士们奋力战斗。"汉武帝于是将此次随卫青出征的多位将军加封为侯。

但是匈奴还是不断进犯中原。卫青又有好几次出塞对抗匈奴。有一次，他带领汉军攻打匈奴，杀了一万多敌军。他手下的两个将军苏建和赵信各自率领部队跟匈奴的部队作战，因为人少，这两位将军的形势很危急。最后赵信没有抵抗住匈奴的诱惑，投降了。右将军苏建

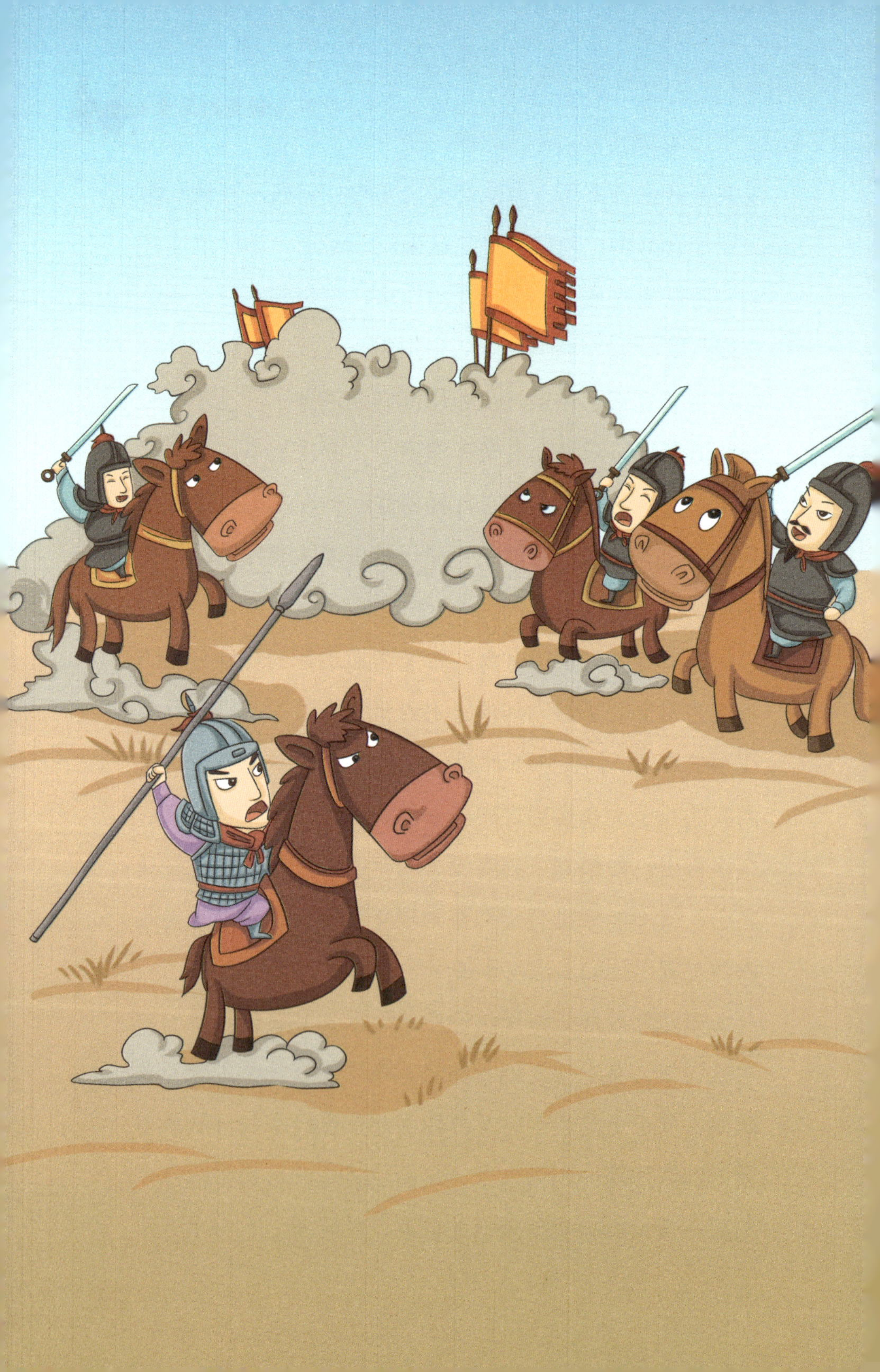

谦逊的卫青

的部队在与匈奴作战中遭到重创全军覆没，只有苏建逃了回来，按军律应当斩首。卫青问长史、议郎等属官："苏建应当如何处置？"

议郎周霸说："大将军出兵以来，从未斩过一名偏将小校，如今苏建弃军逃回，正可斩苏建的头，来立大将军军威。"

卫青说："我因是皇上的亲戚而带兵出塞，并不怕立不起军法的威严，你劝说我杀人立威，就失掉了做臣子的本分。我的权限虽可以斩杀大将，然而我把专杀大将的权力还给皇上，让皇上来决定是否诛杀，以显示我虽在境外，受皇上宠爱，却不敢专权杀将，这不是更好吗？"

于是卫青派人把苏建押回长安，汉武帝怜惜其才，并未杀他，让他出钱赎罪，并且对卫青的处置也大为满意。

汉武帝为表彰卫青击退匈奴有功，谕令群臣见到卫青都要行跪拜礼，以显示大将军的尊贵。群臣不敢抗旨，见到卫青无不行礼，只有主爵都尉汲黯见到卫青依然行平揖礼。有人好意劝汲黯："对大将军行跪拜礼是皇上的意思，您这样做不怕皇上恼怒吗？"汲黯昂然道："跪拜大将军的多了，多我一个不多，少我一个不少。难道说大将军有一个平礼相交的朋友，就不尊

贵了吗？"卫青听说后，非常高兴，亲自登门拜访汲黯，谦虚地说："久仰大人威名，一直没有机会和大人结交，现在有幸承蒙大人看得起，请把我当作您的朋友吧。"汲黯见他态度诚恳，不以富贵骄人，便交了这个朋友。

卫青虽然出身低微，但是擅长骑马射箭，勇力超过常人，而且有着出色的军事才能；对待将士有恩，使人乐于效命，所以每次率兵出征都能立下战功，故而深得汉武帝的宠信。更难能可贵的是，卫青虽然位极人臣，但是为人十分谦让仁和，因此在朝中很有威望。

【知识拓展】

赎刑：按规定或经允许缴纳一定钱财折抵原定刑罚。相传始于夏朝，一直沿袭至明清，但制度不尽相同。五刑之中，上自死刑，下到杖、笞，都可以赎，赎金的数量也有具体的规定。赎刑的得益者，主要是富贵人家。《史记》的作者司马迁因为家贫，没有钱财自赎，终受宫刑。

飞将军李广

李广是西汉名将,经历汉文帝、汉景帝和汉武帝三朝,作战神勇,匈奴人都敬畏地称他为"飞将军"。

在汉文帝时期,匈奴大举入侵,李广从军抗击匈奴。他凭着一手超强的射箭本领,杀死众多敌人,被擢升为皇帝身边的侍卫。汉文帝对李广的才华非常赞赏,曾慨叹说:"可惜啊,你没有碰上合适的时机!如果你生在高祖(刘邦)之时,封万户侯还不是一件很容易的事情吗?"

汉景帝时期,李广担任上郡太守,曾率领一百名骑兵出行,遭遇数千匈奴骑兵。匈奴兵以为李广的部队是诱兵,立即张开架势,严阵以待。汉军骑兵看到众多剽悍的匈奴骑兵,都心生害怕,想要立即逃回去。李广制止他们说:"我们离大军数十里远,如果慌张逃回去,匈奴人必定追杀我们。不如留在这里,匈奴人会认为我们是诱兵而不敢进攻。"李广命令骑兵在距匈奴兵两里远的地方停下,并解下马鞍休息。手下骑兵不解,因为这样连抵抗之力都没有了,李广说:"敌人担心我们会逃跑,我们解下马鞍向他们表示不逃跑,那么他们就会坚信我们是诱兵而不敢轻举妄动。"果然,匈奴人不敢发起攻击。一位匈奴将军前来监视,李广立即上马奔上去将他射死,然后又返回原地,解下马鞍,卧在地上休息。匈奴人觉得李广的行为非常奇怪,不敢贸然进攻,双方就这样对峙到夜间。匈奴人深信李广这支队伍是诱兵,担心遭遇伏兵,便撤兵而去。于是,李广和他的骑兵安全返回本部。

汉武帝元光六年(前129年),李广奉命出兵雁门关,不幸与匈奴的大部队相遇,在寡不敌众的情况下,李广兵败

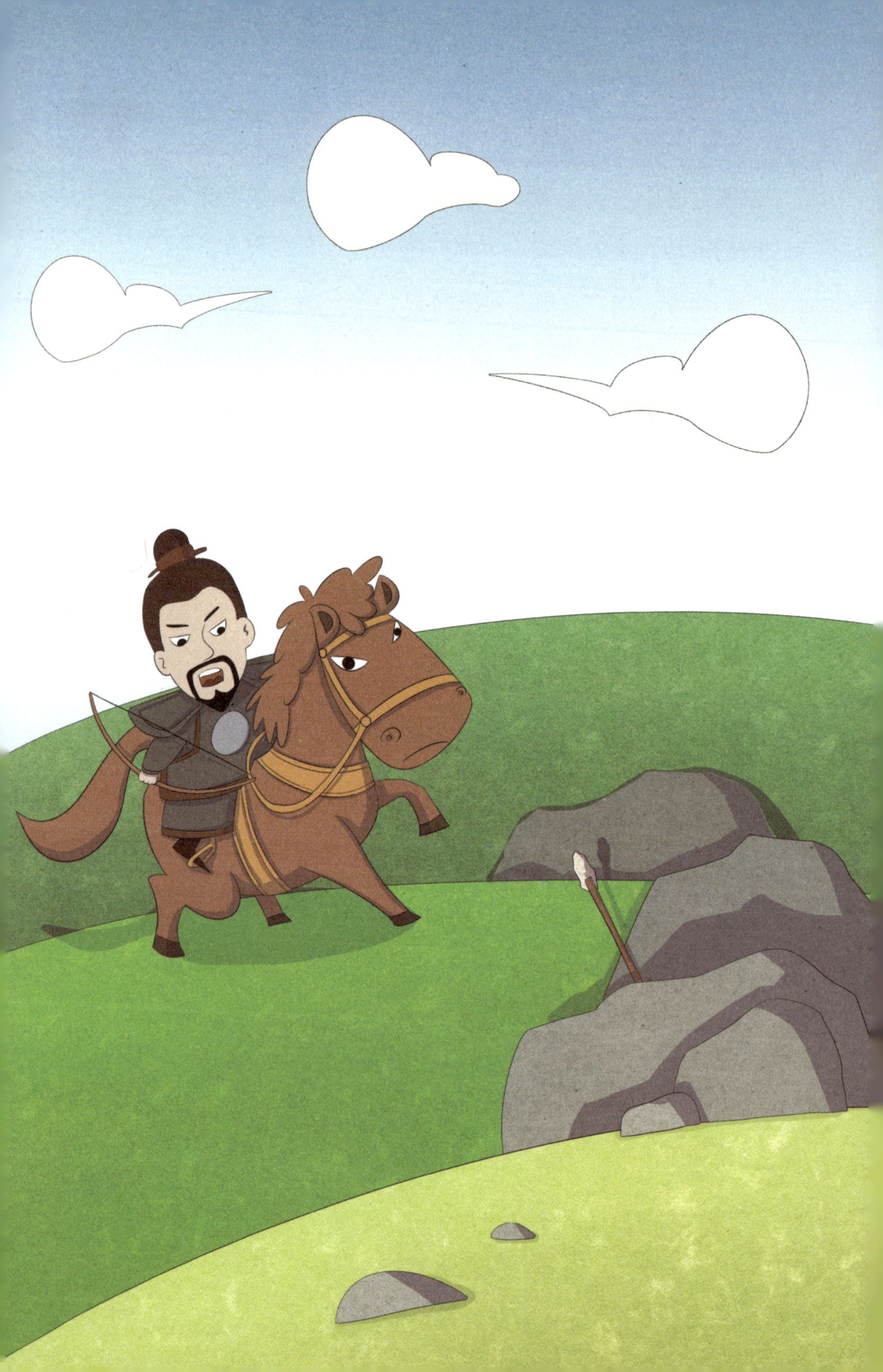

被俘。匈奴单于听说活捉了李广，激动地下令留下李广的性命，他要见一见这位闻名边塞的将军。当时李广负伤在身，不能骑马，于是匈奴骑兵就把他放进一个大网兜里，由两匹马架着前行。走了十多里地，李广看到一个匈奴少年骑着一匹好马，计上心来，于是假装昏死过去。那个匈奴少年过来检查他的伤口，他突然纵身一跃，跳上少年的马背，抢走了弓箭，并把少年推下了马。他策马狂奔，几百个匈奴兵在后边追赶，李广回身放箭，射退了追兵，然后脱身归来。因为这次战斗损失惨重，李广被削职为民。

第二年，匈奴集结两万骑兵入侵边境，形势所迫，汉武帝重新起用李广，任命他为右北平太守。匈奴人听说"飞将军"李广驻守右北平，都避开他，连续几年不敢侵犯右北平。在此期间，李广曾外出打猎，看到草丛中卧着一头猛虎，马上拉弓射箭，但是老虎中箭之后毫不移动，李广觉得奇怪，就打发随从们去检查。他们这才发现那不是一头猛虎，分明是一块大石头。原来李广错把石头当成了老虎，使出全身力气来射杀它，整个箭头都射到石头里去了。

后来，汉武帝命令卫青和霍去病各率骑兵五万，出击匈奴。李广多次请求出征，汉武帝认为他年事已高，

没有答应，又经过多次请求后，李广终于被任命为前将军，随军出征。卫青出塞后，从俘虏口中探知匈奴单于的驻地，于是亲自率精兵前往，令李广从东路进军。

李广因为没有向导，在沙漠中迷路了，没能赶上和单于作战。卫青战胜单于班师后，派人责问李广迷路的情况。李广说："我从少年时就和匈奴作战，到现在已经经历七十多次战役。这次终于有机会和匈奴单于决一死战，而大将军却将我调到东路，道路远而且又迷路了，以致没能赶上和匈奴单于作战，难道这不是天意吗？我已经六十多岁了，不能再去面对那些刀笔小吏！"说完便自刎了。

李广为人清廉，经常将得到的赏赐分给部下，所以他虽然做了四十多年的二千石官，但是家中没有余财。他带领军队，如果士卒们没有全部喝上水，李广就不会先喝；士卒们没有全部吃过饭，李广就不会先吃，因此深得士卒拥戴。李广死后，全军痛哭不已。百姓不管是认识他的还是不认识他的，都为他流泪。

【知识拓展】

李广一生不得封侯，死时，他的长子与次子都已过世，仅留下幼子李敢。李敢当时是霍去病的部下，因立有战功被封为关内侯。听说父亲的死讯，李敢认为是卫青有意调离李广，因此打伤卫青。卫青本人没有追究李敢，但卫青的外甥霍去病却不甘心舅舅被打，后来借甘泉宫狩猎的机会射杀了李敢。

李广的孙子李陵，因爷爷的名气受到汉武帝赏识。自荐以五千步兵出击匈奴，身陷重围，兵败投降。汉武帝得知李陵叛降后族灭李家，致使李陵彻底与汉朝断绝关系。李氏从此衰败。后世唐朝皇室追认李广、李敢为先祖。

霍去病封狼居胥

霍去病是卫青的外甥,他的身世与舅舅卫青相似,也是一个私生子,不过他要比舅舅幸运得多,因为他刚满周岁的时候,卫子夫已经成了皇后。他在大将军卫青的培养下长大,从小就胸怀豪情壮志,总想到前线跟随舅舅杀敌立功。

霍去病十七岁的时候,第一次跟随卫青和匈奴作战。在漠南,霍去病旗开得胜。他带领八百人甩开主力几百里,孤军深入寻找战机,斩获匈奴两千多人,还俘获匈奴的相国,杀死单于的祖父,班师回朝后汉武帝非常赞赏他,封他为"冠军侯"。

前121年,汉武帝任命十九岁的霍去病为骠骑将军,令其率领一万骑兵出塞北击匈奴。霍去病率领一万骑兵在六天之内,转战五个王国,越过焉支山一千多里袭击匈奴。此战异常惨烈,汉军损失七千多人,斩获匈奴八千九百多人，并斩杀了折兰王和卢侯王，俘获浑邪王的儿子及相国。

此战胜利后，汉武帝想乘胜追击，令霍去病为统帅再次出击匈奴。霍去病又一次孤军深入，取得大胜。俘虏匈奴王五人，还有王母、王子、相国、将军等一百多人，降服匈奴浑邪王手下四万多人。

这两次战争，匈奴损失非常严重，匈奴单于大为震怒，下令召回浑邪王，准备处死。浑邪王害怕，便打算投降汉朝，派出使者向汉武帝乞降。汉武帝不知道浑邪王是真心还是假意，担心他们是以诈降的手段偷袭边塞，于是命令霍去病去受降。霍去病渡过黄河，与浑邪王的部队遥遥相望。这时，浑邪王的将士改变主意，不愿意向汉朝投降，纷纷逃走。霍去病知道后，立即骑马闯进浑邪王的大营，将企图逃跑的八千多匈奴兵斩杀，然后遣浑邪王单独面见汉武帝，同时让浑邪王的四万部下全部渡过黄河。这件事情之后，霍去病的地位更加尊贵了，和舅舅卫青的地位不相上下。

前119年，为了彻底消灭匈奴主力，汉武帝命大将军卫青和骠骑将军霍去病各领五万骑兵攻打匈奴。霍去病作战勇猛，敢于孤军深入打击匈奴，因此这次令霍去病正面攻击匈奴单于。由于情报错误，霍去病没能遭遇

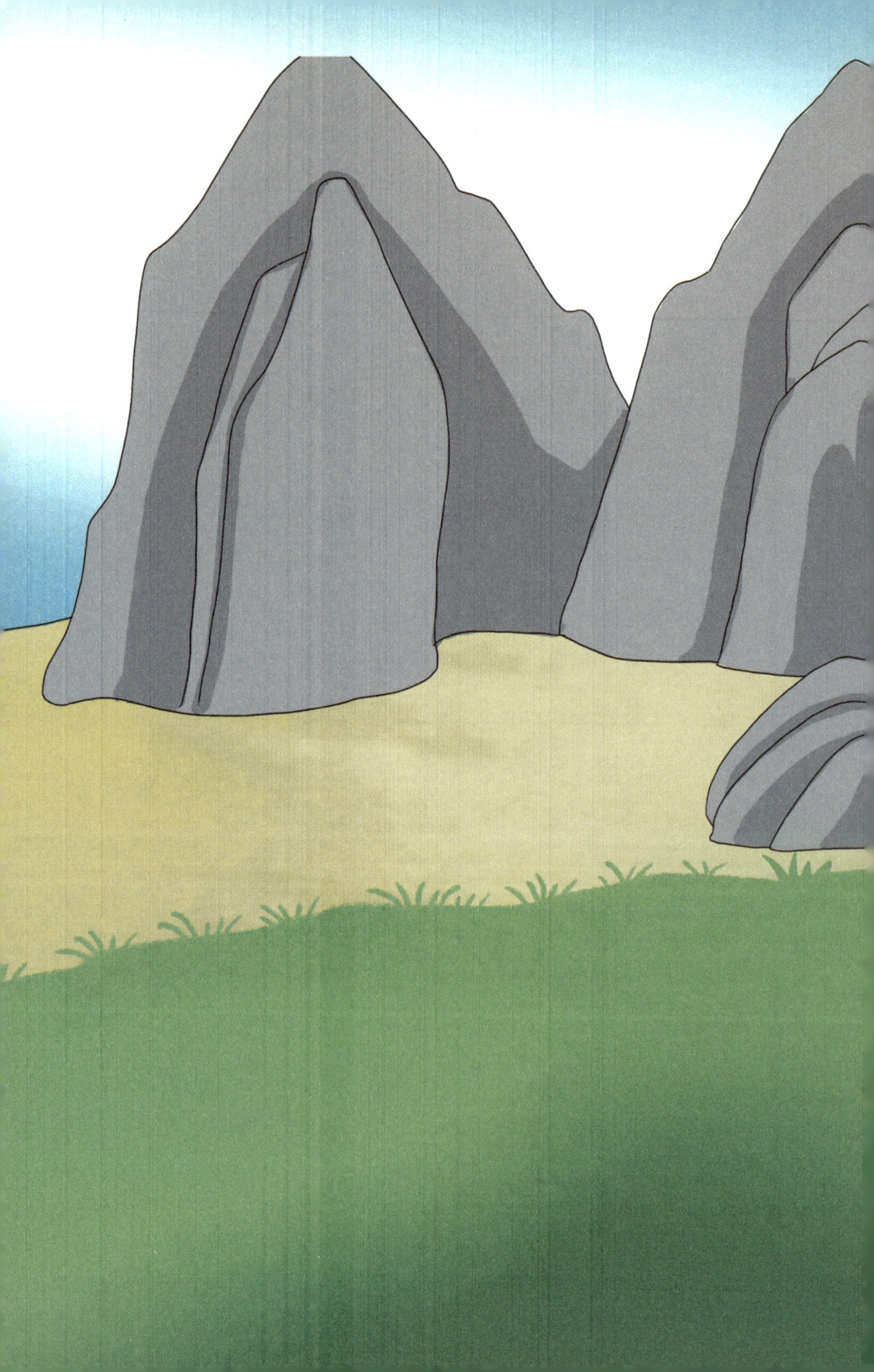

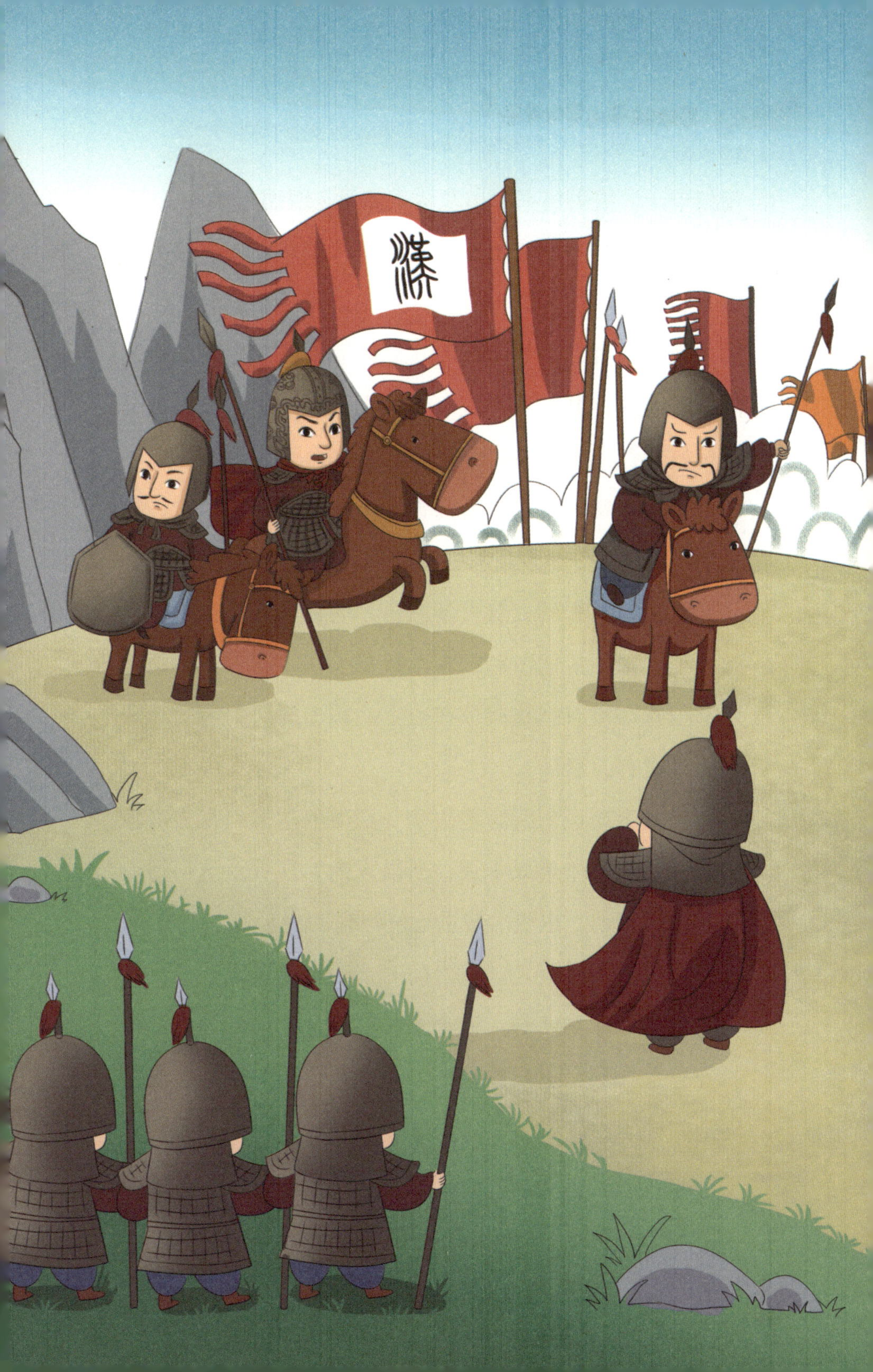
漢

匈奴单于。霍去病率军出塞两千多里，遭遇匈奴左贤王。霍去病以摧枯拉朽之势击败左贤王，擒获匈奴王三人，以及将军、相国等八十三人，在狼居胥山祭祀天神，姑衍山祭祀地神，又登上瀚海（今俄罗斯贝加尔湖）旁边的山峰眺望，共俘获匈奴七万多人。此战中，汉军共消灭匈奴八九万人，匈奴因此远迁漠北。

论功行赏时，汉武帝增设大司马一职，由卫青、霍去病同时担任，还规定霍去病的官级和俸禄与卫青一样。从此以后，卫青的权势日渐衰落，而霍去病日益尊贵。很多卫青以往的朋友和门客改投霍去病，马上得到了官职。卫青并没有把这些放在心上，霍去病对舅舅的尊敬也丝毫没有改变。

汉武帝曾经想赐给霍去病一座豪宅，但是霍去病拒绝了，说道："匈奴未灭，何以家为？"听了这句话，汉武帝很感动，也更加敬重这位年轻的将军。

不过，天妒英才，霍去病二十四岁就去世了。汉武帝对他的死非常悲伤，调来了铁甲军，让他们列成阵从长安一直排到霍去病的墓地，还把霍去病的坟墓修成祁连山的样子，以表彰他的军功。

霍去病封狼居胥

【知识拓展】

焉支山：又称燕支山、胭脂山，位于今甘肃境内。山中水草丰美，自古为天然优良牧场，匈奴曾长期盘踞。古时焉支山盛产红兰花，其汁可以用作胭脂，用以美容，得名胭脂山。汉武帝时，霍去病孤军深入河西走廊，率军攻略祁连山、焉支山，歼灭其主力三万余人，俘虏匈奴单桓王、酋涂王和单于阏氏等百余人。匈奴人有悲歌："亡我祁连山，使我六畜不蕃息。失我焉支山，使我妇女无颜色。"

苏武牧羊

汉军在对匈奴的多次作战中,都取得重大的胜利,使匈奴元气大伤。趁匈奴单于新立之机,汉武帝打算出兵彻底消灭匈奴。匈奴单于因害怕遭到汉军的袭击,向汉朝表示称臣之意,说:"在大汉天子面前,我就跟小孩子一样,大汉天子是我的长辈。"然后又将扣留在匈奴的汉朝使者送回,并派使臣来汉朝进贡。

汉武帝对匈奴单于的做法表示满意,便打消了出兵匈奴的念头,派使臣苏武去匈奴答谢,并送回先前扣留在汉朝的匈奴使臣。到达匈奴后,匈奴出现内乱,原来投降匈奴的汉人谋划劫持匈奴单于的母亲返回汉朝,结果事情败露。与苏武一同出使的副手也参与了这件事情,苏武因此受到牵连。苏武知道后,为了避免受辱,当即拔剑自刎,最后被众人救下。

匈奴单于召集贵族商议如何处置这些汉使,最后商

苏武牧羊

定逼迫他们投降。苏武从单于手下口中得知此事后，誓死不肯投降，并用佩刀刺进自己的身体。匈奴人大为吃惊，立即叫来医生对苏武进行救治，苏武得以脱离生命危险。单于很佩服苏武的气节，等到苏武的伤势痊愈，便派人前来劝降。单于的手下先是用剑指着苏武威胁他，但是苏武毫不畏惧，于是单于的手下又说："只要你归顺单于，单于答应赐封你为王，你就能得到数以万计的随从和漫山遍野的牲畜。否则，你就是暴尸荒野也没人知道。"无论单于的手下如何威逼利诱，苏武都不为所动，他凛然说道："以前南越国杀死汉使，结果南越国成了汉朝的九郡；大宛国王杀死汉使，他的人头不久便悬在长安宫廷的北门上；朝鲜杀死汉使，立即招来亡国之祸。只有匈奴还没有做过这种事情，恐怕匈奴的灭顶之灾将从我这里开始！"负责劝降的人没有办法，只得将事情报告单于。单于听到后，更加佩服苏武的气节和忠心，也因此更想逼迫苏武投降。

　　单于将苏武囚禁在地窖中，不给他提供饮食，企图逼他就范。当时正好天下大雪，苏武就用雪片和衣服上的毡毛当作食物一同吞下，这样坚持了好几天。匈奴人见苏武在一连几天不吃不喝的情况下还活着，大为惊讶，以为有神灵在庇护他。单于便将他放逐到荒

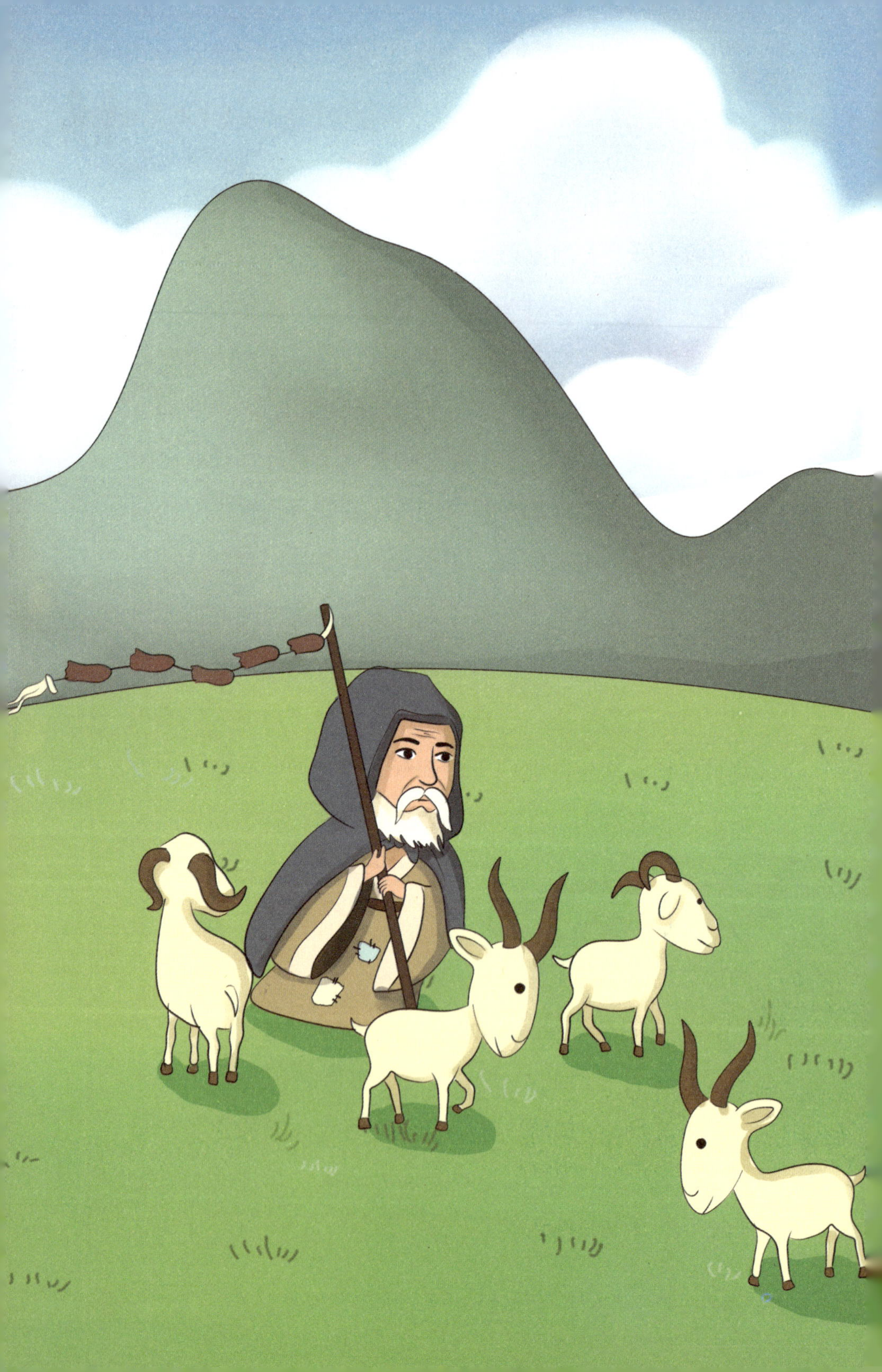

无人烟的北海（今俄罗斯贝加尔湖）边上，并将一群公羊交给他，说："等到公羊产下羊奶的时候，你就可以回到中原了。"

在荒无人烟的北海边上，苏武孤身一人，与他做伴的就是那根从汉朝带来的使节。无论干什么，就算睡觉，苏武都会拿着它，以致节杖上的毛缨全部脱落了。在北海边上的生活非常艰苦，没有食物，苏武就挖掘野鼠的洞穴，用里面的草子充饥。

然而，单于想要招降苏武的心还没有死，他派投降匈奴的李陵来北海边上劝降苏武。李陵与苏武有很深的交情，他一连劝说了好几天，但是苏武始终不改忠心。苏武对李陵说："我很久之前就抱定必死的决心，你一定要劝我投降，那么我只有死在你面前！"李陵见苏武一片赤诚，不禁泪流满面，感叹说："你真是一个义士啊！"后来，李陵又来到北海边上，并带来了汉武帝去世的消息。苏武得知后，痛哭不已，一连数月，每天早上和晚上都会面对着南方号啕大哭。

前85年，匈奴单于去世，匈奴发生内乱，分成了三个国家。新即位的单于害怕受到汉朝的袭击，于是向汉朝求和。汉昭帝派使者前往匈奴，要求单于放回苏武，但是匈奴人谎称苏武已经去世，于是这件事情就此作

罢。后来，汉昭帝又派出一批使臣来到匈奴。当年随苏武一同来到匈奴的常惠也一直被扣留在匈奴，他知道汉使来了，便买通匈奴人，私下见到汉朝使臣，把苏武在北海边上牧羊的事情告诉了他们。常惠知道匈奴还会抵赖，便教汉使责问单于："匈奴既然想同汉朝和好，就不应该欺瞒汉朝。汉朝的天子在上林苑射猎，射下一只大雁，大雁的脚上系着一块绸缎，上面写着苏武在北海边上放羊。你怎么说他死了？"单于听后大吃一惊，然后道歉说："苏武确实还活着，我们这就放他回去。"

于是，苏武等一行九人一同回到汉朝。回到长安的那天，长安的百姓都出来迎接他们。苏武出使匈奴的时候是四十岁，在匈奴受了十九年的折磨后，须发全白。长安的百姓看到须发全白的苏武，以及他手里那根光秃的使节，无不感动落泪。

苏武牧羊

【知识拓展】

单于：匈奴人对部落联盟首领的专称，意为北方之主，始创于匈奴冒顿单于之父头曼单于，一直沿袭至匈奴灭亡。东汉三国之际，有乌丸、鲜卑的部落也使用这个称号。至两晋十六国，改称为大单于，但地位已不如以前。

霍光辅政

霍光是霍去病同父异母的弟弟,从小被安排在霍去病的帐下任职。霍去病死后,霍光开始侍奉汉武帝,负责保卫皇上的安全。霍光出入皇宫二十多年,一直小心谨慎地侍奉汉武帝,从来没有出现过失,深得汉武帝的信任。

前87年,汉武帝病逝,霍光被任命为大司马、大将军,受命辅佐只有八岁的汉昭帝。霍光辅佐幼主,国家政令都由霍光一人决断。他熟悉政务,减少赋税和劳役,使百姓得以休养生息,国家渐渐恢复汉文帝和汉景帝时期安定繁荣的局面。

但霍光手握朝政大权,引起了许多大臣的嫉恨。霍光与上官桀本是亲家,霍光的女儿嫁给上官桀的儿子,并生下一个女孩。上官桀想将这个六岁的孙女嫁给汉昭帝做皇后,霍光因为女孩太小而没有同意。上官桀便

通过汉昭帝的姐姐盖长公主的帮助，让孙女当上了皇后。为了报答盖长公主，上官桀想帮助盖长公主的内宠获得封侯，但是遭到霍光严厉拒绝，霍光由此得罪盖长公主。

上官桀自汉武帝时期就位列九卿，地位高于霍光，在孙女成为皇后之后，愈加不服霍光，想要取而代之；燕王刘旦自认为是汉昭帝的兄长，本应由自己来继承皇位，因此对汉昭帝心怀怨恨；御史大夫桑弘羊创立盐、铁、酒类专卖制度，为国家创造了大量财富，自认为有功于国家，想为自己的子弟谋求官职，但是遭到霍光拒绝，因此也怨恨霍光。所以，盖长公主、上官桀、燕王刘旦和桑弘羊串通一气，想要除掉霍光。

一天，趁霍光休假不在朝中，上官桀用伪造的燕王刘旦的奏章，上书

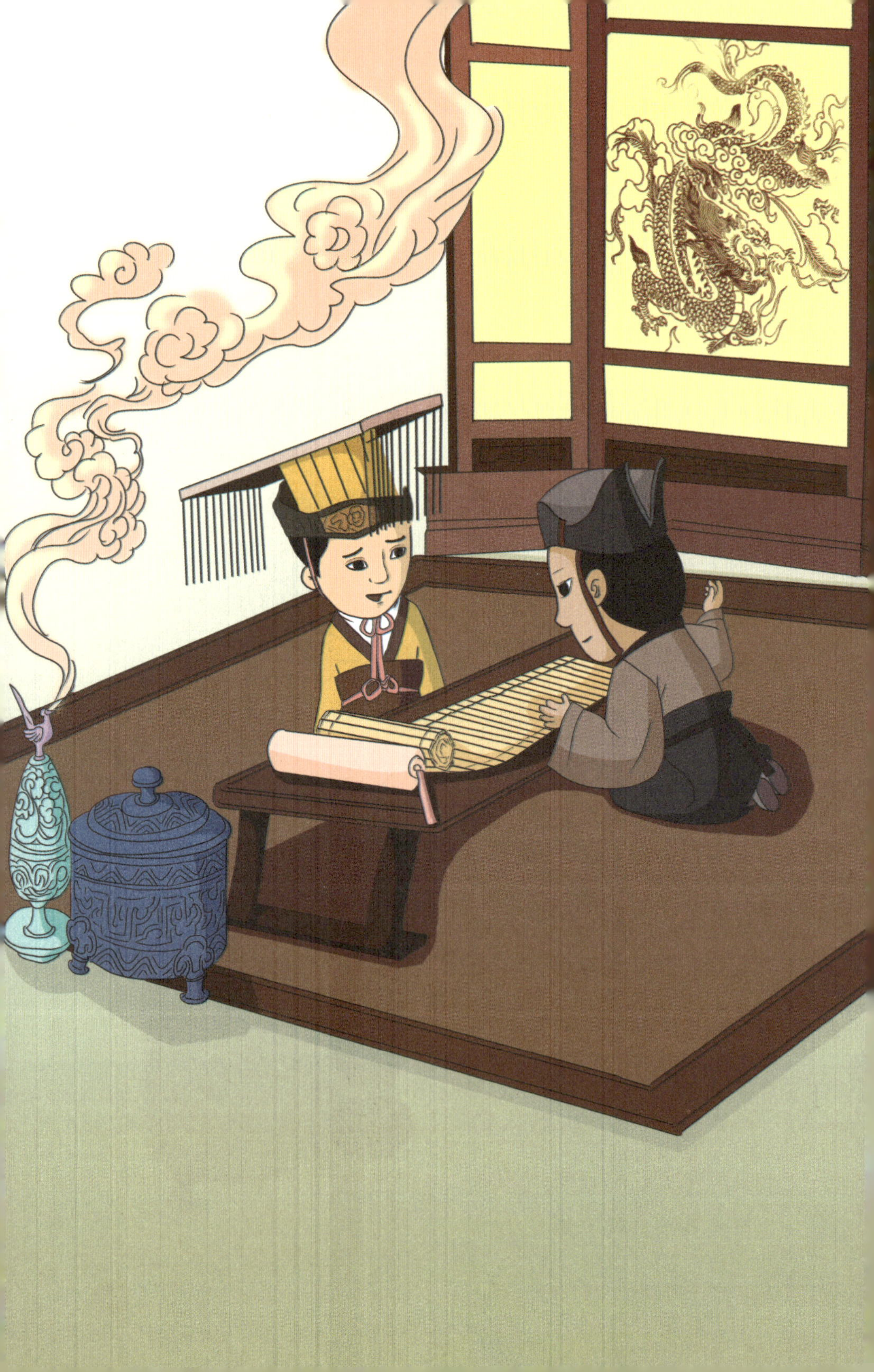

汉昭帝,称霍光有不轨之心。因为霍光在广明检阅羽林军的时候,排场跟皇帝出游一样;另外,霍光擅自在羽林军中挑选校尉召入自己的府中。这些不利于朝廷的举动,足够说明霍光居心叵测。

汉昭帝收到这份奏章,粗略地看了一遍就将它放在一边。第二天早上霍光上朝,听说此事,惊恐不已,一直在殿外来回踱步,不敢进入。汉昭帝见霍光不在,便问:"大将军在什么地方?"

上官桀回答说:"因为燕王控告大将军,大将军害怕而不敢进殿。"

汉昭帝于是将霍光召进殿内。汉昭帝对在殿内叩头请罪的霍光说:"大将军请把帽子戴上,朕知道那道奏章上说的事情都是假的,大将军并没有罪。"

霍光问:"陛下是如何知道的?"

汉昭帝说:"大将军去广明检阅羽林军,是最近才发生的事,而且将羽林军的校尉调入大将军府中,前后不出十天。在这么短的时间内,遥远的燕王怎么可能知道这些事情!况且,如果大将军要谋反,根本用不着选调羽林军校尉。"

听了这番话,所有在朝官员都震惊不已,因为此时的汉昭帝只有十四岁。汉昭帝随后又怒斥道:"大将军是国家忠臣，受先帝的遗命来辅佐朕。如果还有谁胆敢污蔑大将军，朕一定严惩不贷。"从此以后，上官桀等人再也不敢诬陷霍光。

前77年，年仅二十二岁的汉昭帝病逝。因为没有子嗣，于是奉皇太后诏，由昌邑王刘贺继位。刘贺为人狂妄放纵，在自己的封国里肆无忌惮，纵情享乐毫无节制，甚至在汉武帝服丧期间也出巡游玩。当上皇帝后，刘贺更是荒淫没有节制，而且把原来封国的官吏全部召入朝廷并破格提拔。

霍光对新皇帝的荒唐行为感到十分忧虑，于是萌生了废掉刘贺拥立新君的念头，他在未央宫召集所有朝中大臣，说："昌邑王荒淫无度，这样必定会危害国家，我们应该怎么办呢？"群臣听得胆战心惊，一个个都不敢说话。田延年走到群臣面前，手按剑柄说："先帝托孤给大将军，让大将军决断国家大事，是因为信任大将军忠义贤能，可以保全刘氏江山。现在朝廷被一群奸佞搅得乌烟瘴气，社稷岌岌可危。社稷的存亡就在于今日的决断。"群臣响应。

于是，霍光率领群臣面见皇太后，告知事情的原委，得到了皇太后的支持。前74年，英明的中兴之主汉宣帝在霍光等人的拥护下，继承皇位。

【知识拓展】

田延年：大将军霍光的助手，担任长史。霍光等大臣罢黜刘贺时，田延年挺身而出，因功为大司农。修建昭帝陵墓时，贪污三千万钱被揭发。虽然不少大臣为他说情，但汉宣帝没有同意。田延年羞愧说道："我何面目入牢狱！"于是自刎而死。

监狱里走出来的皇帝

汉武帝的儿子刘据因"巫蛊之祸"不得不起兵造反,汉武帝一怒之下杀了太子刘据和他的家眷,但是有一个孩子幸运地活了下来,这个孩子就是汉武帝的曾孙刘病已。

刘据有一个儿子叫作刘进,刘进的母亲姓史,所以历史上也把刘进称为"史皇孙"。后来,这个"史皇孙"和涿郡的一名女子结婚生下了刘病已,这个孩子被大家称为"皇曾孙"。"皇曾孙"出生后没有几个月,就发生了"巫蛊之祸",刘据和他的三个儿子、一个女儿以及所有的妻妾都被汉武帝下令杀掉,最后只剩下了皇曾孙一人,不过皇曾孙也因为"连坐"被关进了监狱中。后来汉武帝生病,有人对汉武帝说长安的监狱中隐隐有天子之气,恐怕是这个原因才使得汉武帝久病不愈。汉武帝非常恼怒,于是下令,"监狱里的人,无论罪行轻重，格杀勿论"。管理监狱的丙吉拼死拦住了这些使者，对他们说："皇曾孙在这里，无辜的人被杀尚且违背天意，何况是血脉相连的曾孙呢？"双方相持不下，一直到天亮，使者仍未能进入监狱，只好回宫复命。听完整件事情的来龙去脉，汉武帝说："这是天命啊，由他去吧。"

几年后汉武帝查清了事实，知道太子刘据是被人陷害被逼造反，不禁后悔不已，下诏由掖庭抚养刘病已。

担任掖庭令的张贺曾经是刘据的宾客。张贺感念太子的恩情，又觉得皇曾孙身世可怜，于是对这个少年尽心尽力，刘病已也不负众望，成为一个有上进心、学识过人的优秀青年。看着刘病已如此优秀，张贺就想把自己的孙女嫁给他，不过张贺的弟弟劝阻了他："刘病已是废太子的后代，如今还能活着被国家养大已经是天大的好事了，你还指望他取得什么功名呢？以后不要再提嫁女之事了！"

但是看着刘病已日益长大，张贺还是想帮助他建立一个家庭，于是他就对掖庭的一个小吏许广汉说道："皇曾孙拥有皇族血统，将来最差也是一个关内侯，把你的女儿嫁给他你也不亏。"许广汉便应允了这门亲事，这个女孩便是后来的许皇后。

刘病已凭借着许广汉兄弟和祖母的娘家史家的支持，四处游学，学识和胆气都得到了提高。这段在民间的生活，让他对下层社会的疾苦和官吏的好坏十分了解，很理解老百姓的疾苦。

此时，汉昭帝刘弗陵因病去世，因刘弗陵没有子嗣，就选定了昌邑王刘贺做了皇帝。刘贺不学无术，仅仅做了二十七天皇帝，就干了上千件荒唐的事情，所以汉武帝的托孤重臣霍光与太后商量之后废掉了这个皇帝。正当大家为确定皇位继承人议论纷纷的时候，当年那个管理监狱的官员丙吉上书给霍光，推荐皇曾孙刘病已，作为皇位继承人，是为汉宣帝，许氏理所应当地被册封为皇后，刘病已也改名刘询。

不过霍光的妻子一心想让自己的小女儿成为皇后，她和宫中一个女医官勾结在一起，毒害了刚刚生下孩子的许皇后。迫于霍家的势力，汉宣帝下令不追查此事。第二年，霍家的小女儿顺利地成为皇后。

汉宣帝清楚地知道霍氏家族的势力庞大，所以在霍光在世的时候，他一直言听计从，百依百顺。前68年，霍光病逝，汉宣帝开始亲政，他逐渐剥夺了霍家人的权力，这让霍家人十分害怕，最后铤而走险，企图发动政变。计划败露后，霍氏家族遭到灭顶之灾，霍皇后被废。

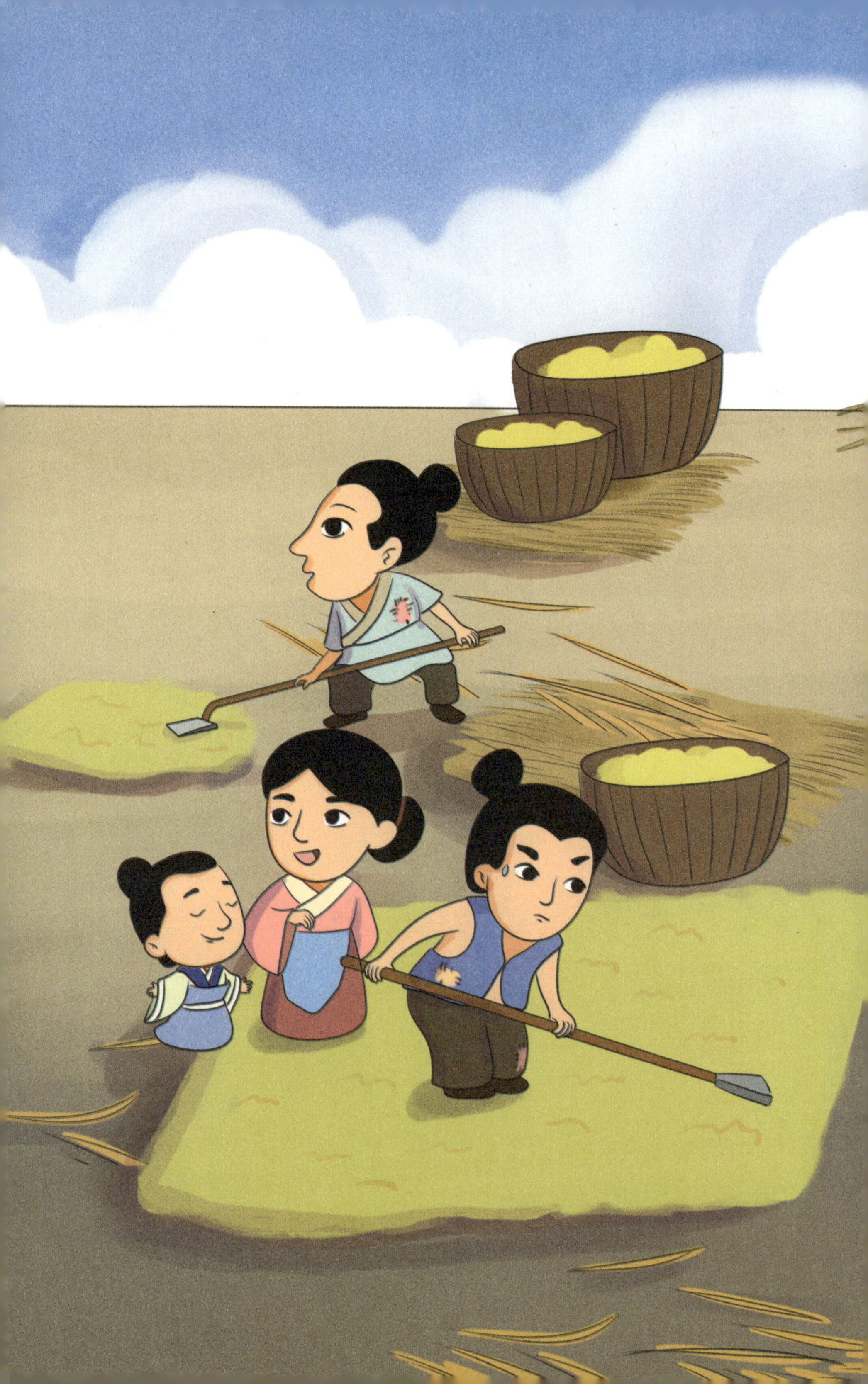

汉宣帝在位期间，勤俭治国，进一步确立了儒家思想的地位。他对大臣要求特别严格，亲政之后，整个国家政治清明，经济繁荣。对于周边的少数民族，汉宣帝采取了"软硬兼施"的政策，在他统治时期，匈奴单于入朝称臣，宣帝完成了汉武帝未竟的功业。历朝的史书都对宣帝大为赞赏，认为他的统治是"孝宣之治，信赏必罚，文治武功，可谓中兴"。史学家把汉宣帝和汉昭帝的统治并称为"昭宣中兴"。

【知识拓展】

掖庭：永巷，当初，戚夫人曾被吕后囚于永巷。汉武帝太初元年改称"掖庭"。宫中宫女居住的地方，由掖廷令管理。

品格高尚的丙吉

汉宣帝刘询能够最终登上大位，丙吉的功劳最大。丙吉从小就学习法律条令，曾经担任过鲁国的狱吏，因为工作出色，被提拔到朝廷任廷尉右监。但是不久，丙吉就因为朝中错综复杂的关系受到牵连，被罢免官职并贬出京城，到外地担任州从事。

过了几年，丙吉接到调令，让他回长安任职，尽管他心里充满疑惑，但还是赶紧收拾好行囊回到京城。原来，这一年长安城内发生了"巫蛊之祸"，太子刘据因为受到奸臣陷害，被汉武帝怀疑，于是他决定先下手反叛，最后兵败自杀，他的母亲卫子夫也随之上吊自杀。盛怒之下，汉武帝把太子全家抄斩，几万臣民受到株连。因为涉案人员极多，再加上许多在京城的官员本身又牵连其中，所以朝廷从地方抽调了很多办案人员，丙吉就是其中之一。

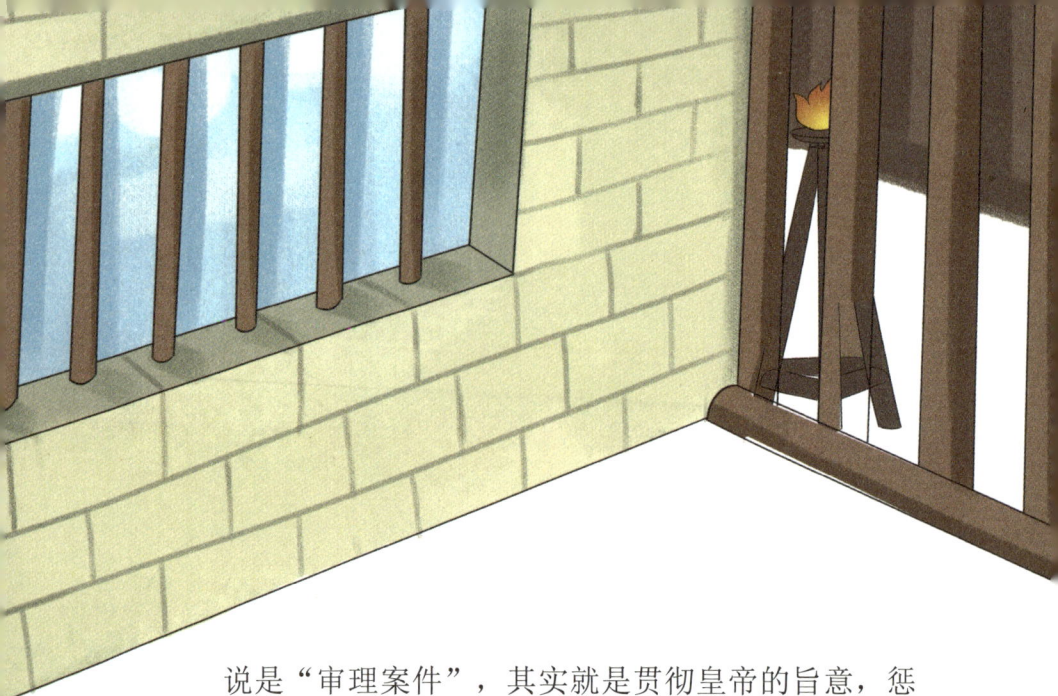

说是"审理案件",其实就是贯彻皇帝的旨意,惩罚犯人。具体到丙吉,他的任务就是看守长安的监狱。一天,丙吉在巡视天牢的时候发现了一个刚满月的婴儿,他就是受到"巫蛊之祸"的牵连而被关入大牢皇曾孙刘病已。因为孩子所有的亲人都遇害身亡,而孩子尚在襁褓之中,大家不知道如何处置,就把他扔在大牢中等待汉武帝最后的决定。

　　丙吉发现这个孩子的时候,他已经奄奄一息。丙吉知道太子刘据是被小人陷害,被逼造反,所以他对刘据满怀同情,又怜悯这个嗷嗷待哺的皇曾孙,就给孩子换了一间通风、干燥的牢房,选了两个在哺乳期的女囚胡组和郭征卿哺育皇曾孙,使小皇孙活了下来。

　　接下来的几个月里,一拿到俸禄,丙吉就先换来米和肉供给牢房中的皇曾孙。他每天都会去看望孩子,更不准任何人惊扰孩子。但是监狱中的条件毕竟很恶劣，在这里生活的皇曾孙经常得病，有好几次都差点病重身亡，丙吉每次都及时命令狱医诊治，按时给孩子服药，数次使孩子转危为安。两位奶妈也把孩子视为自己的孩子，精心照料。就这样，这个身世可怜的婴儿在监狱中艰难地活了下来。

后来汉武帝生病，一些观气的术士说监狱里有帝王之气，于是汉武帝派人来杀掉监狱里所有的人。丙吉挺身而出，冒死保住了孩子的性命。汉武帝并没有怪罪丙吉，病好后还大赦天下。

丙吉主管的监狱一下子冷清了，孩子的奶妈都回到了自己的家乡。丙吉最终决定把刘病已送到父亲刘进的舅舅史家，他们家住在长安近郊，当时史家还有刘病已的舅曾祖母贞君和舅祖父史恭。史恭和史老太太毫不犹豫地接过了抚养他的任务。史老太太对刘病已更是疼爱有加，经常亲自照料孩子的生活起居。

晚年的汉武帝知道了"巫蛊之祸"的真相，明白了儿子刘据的冤情，悔恨不已，并且为"巫蛊之祸"平反。刘病已的命运开始发生改变，他被重新加入了皇室族谱，同时由掖庭供养。

丙吉离开皇曾孙之后，在霍光的身边做了一名官员，

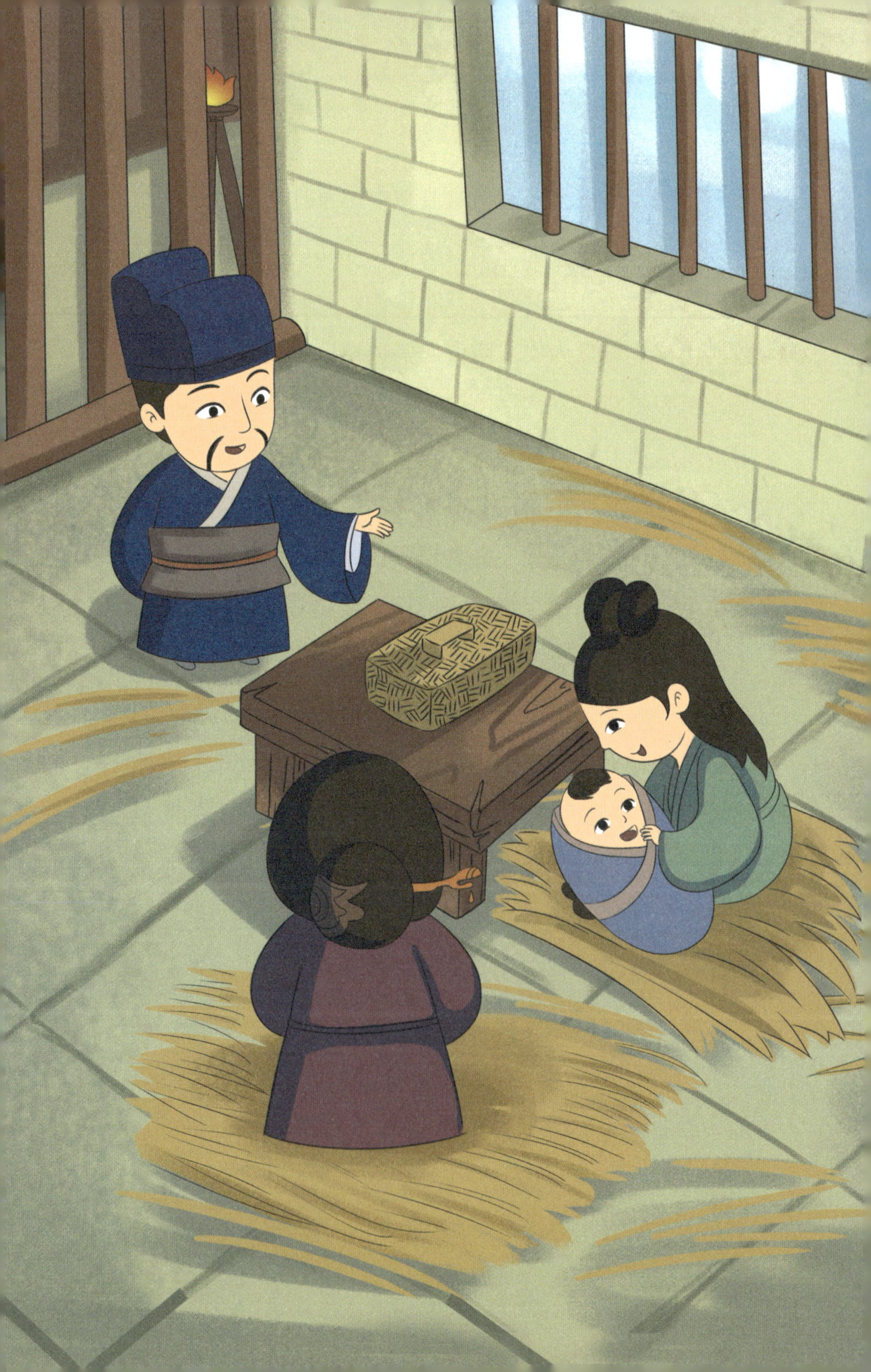

很得霍光的信任。霍光废掉刘贺之后，为选继承人的事情很是烦恼。这时候丙吉向霍光推荐了刘病已，是为汉宣帝。宣帝即位后，知恩图报，为张贺、史恭等人加官晋爵，连他们的子孙都大加封赏。而对于丙吉，汉宣帝只认为他有拥立的功劳，依惯例封为"关内侯"，因为刘病已并不知道丙吉对自己的大恩。他以为张贺、史恭等人的功劳要比丙吉大得多。

丙吉对过去曾经发生的事情只字不提。一个叫作伍尊的人年轻的时候是监狱的小吏，曾经看到过丙吉抚养刘病已。汉宣帝即位后，伍尊曾经劝说丙吉向皇帝请功，但是被丙吉谢绝了。后来，伍尊向宣帝上书陈述自己看到的一切，结果上书经过丙吉手中时，删去了对自己的言辞，将功劳都归于胡组和郭征卿。

汉宣帝下诏寻找两位奶妈，得知两位老人已经去世，于是就封赏了她们的子孙。汉宣帝对丙吉的所作所为非常感动，封他为博阳侯。

前51年，汉宣帝刘询因匈奴归降，回忆曾经的有功之臣，令人画十一名功臣图像于麒麟阁，丙吉位列其中。

【知识拓展】

麒麟阁：汉武帝建于未央宫之中，因汉武帝元狩年间打猎获得麒麟而命名。霍光、苏武等都位列其中。后世往往将麒麟阁十一功臣与云台二十八将、凌烟阁二十四功臣相提并论，有"功成画麟阁""谁家麟阁上""画图麒麟阁"等诗句流传，以为人臣荣耀之最。

夏侯胜狱中传道

夏侯胜是汉朝的一代名师，连皇家贵族也经常听他讲学。他为人正直刚烈，厌恶歪理邪说，为了真理，即使被投入监狱也绝不屈服。

汉宣帝时，朝廷施行"休养生息"的政策，整个国家逐渐走出了汉武帝执政后期造成的"经济崩溃"的危机。

经济恢复后，汉宣帝就想歌颂一下自己的功绩，但是又不好直说，于是就想了一个办法，他先给汉武帝立个庙号，然后让大臣们联想起到他自己的功绩。

于是这天早朝上，汉宣帝就对满朝文武说："众爱卿，我的曾祖父为大汉的强大作出了巨大的贡献，可是到现在连个庙号都没有，我这个做曾孙的感到很愧疚。所以我想让诸位为先帝立个庙号，你们觉得怎么样？"

宣帝的这个提议得到了大家的热烈响应，很快朝堂

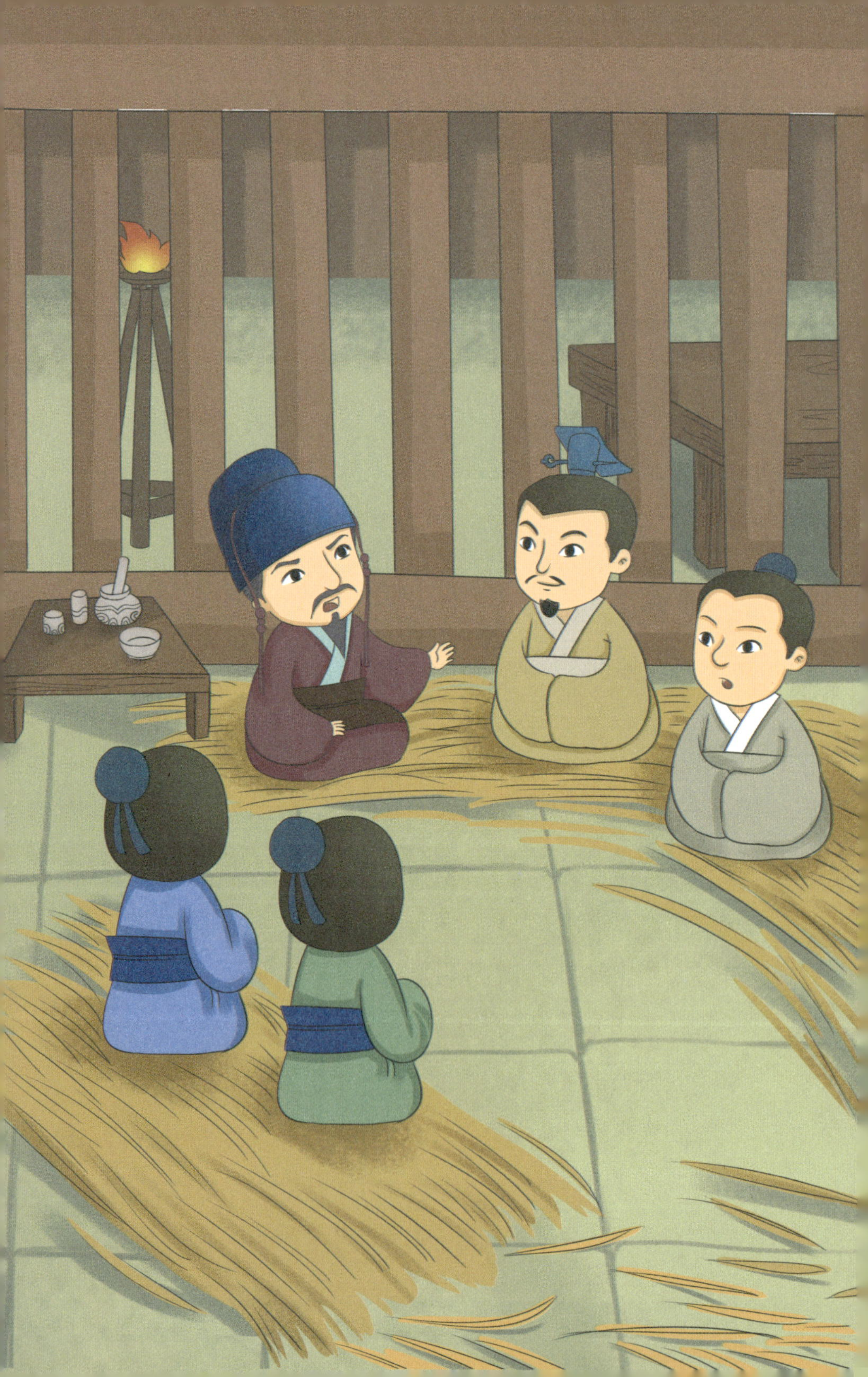

夏侯胜狱中传道

上就讨论得热火朝天。正当大家说得高兴的时候,光禄大夫夏侯胜突然给大家泼了一盆冷水,他大声说:"这样不行!"汉宣帝本来很开心,没想到竟然出来这么一个不知好歹的家伙!汉宣帝的脸色变得很难看,冷冷地问道:"为什么不行?"夏侯胜上前说道:"先帝虽然击退匈奴,扬我雄威,但因为用兵使国库空虚、民不聊生。现在我大汉刚刚摆脱倾覆的危险就要给先帝立庙号,定会让百姓心存怨恨,所以臣以为现在不是给先帝立庙号的最佳时机。"

宣帝听完这番话,气得浑身发抖,一甩袖子下朝走了。第二天,一份百官联名弹劾夏侯胜"大逆不道"的奏章就摆在了宣帝面前。宣帝看了一遍,突然看到了长史黄霸。原来,黄霸是唯一不肯在弹劾夏侯胜的奏章上签名的,其他官员就想把他也一并弹劾了。

宣帝看完之后,为了给自己出口气,就把夏侯胜和黄霸打入大牢,关在了一起。两个月过去了,这天,宣帝派人去大牢看看这两个人是不是有了悔意。使者回来说夏侯胜和黄霸都没有悔改的意思,但是每天都唉声叹气,精神很不好,夏侯胜好像都产生了自杀的念头。汉宣帝一听急了,他并不是想置他们于死地,只是想教训他们一下,其实在心里,汉宣帝还是很尊敬这两个人的。

于是他下旨对监狱长说:"一定要保住这两个人的性命,否则监狱官员全部问罪。"

又是半年过去了,宣帝又派人去看夏侯胜和黄霸的情况,这回的消息可把汉宣帝气坏了。原来自从监狱长接到圣旨,便对这两个人丝毫不敢怠慢,这让夏侯胜和黄霸的生活好不惬意!一天到晚,他们在监狱里不是大呼小叫,就是神秘地比比画画,高兴的时候还会唱歌。

汉宣帝很生气,就又下旨说:"不要好酒好饭地伺候他们,只要保证他们活着就行。"又过了一年,这两个人还是没有悔过的意思,虽然不再唱歌了,但是他们还是每天大呼小叫,比比画画。

后来汉宣帝大赦天下,就把他们放了出来。汉宣帝召见他们,问道:"听说你们在监狱经常大呼小叫,你们到底在做什么呢?"话音刚落,黄霸就跪在地上说:"感谢万岁赐臣好老师!"

原来,被关进大牢后,两人都很绝望,夏侯胜都准备绝食自尽了。黄霸性格比较洒脱,过了几天,就让夏侯胜教自己学问:"子曰:朝闻道,夕死足矣!你是有道之人,死得其所了。我却不行,既然都要死,你也让我死得其所吧!"

夏侯胜听完觉得有道理，与其整天担惊受怕，不如潇洒一些，于是答应了黄霸，传授给他学问。所以，狱卒把两个人的一问一答当成了一唱一和；把两人一起研讨学问时候的争论当成了神秘的比比画画。

汉宣帝听完这一番话，大笑，然后指着两人说："你们真是出乎朕的预料啊！一个满腹经纶却刚正不阿，可为天下师；一位心胸开阔，虚心好学，可为百官表率！"

第二天，夏侯胜被任命为太子的老师，而黄霸则出外任扬州刺史。夏侯胜果然不负厚望，殚精竭虑地教导太子。当夏侯胜病逝时，皇亲国戚也为他穿着素服送葬。黄霸在外得到锤炼之后，回到京城成为宰相，赢得了官员和百姓的尊重。

【知识拓展】

庙号：皇帝死后，在太庙立室奉祀时特起的名号，如高祖、太宗等。汉朝对于追加庙号一事极为慎重，不少皇帝因此没有庙号。到了魏晋南北朝时期，庙号开始泛滥，到了唐朝，除了某些亡国之君以及短命皇帝外，一般都有庙号。

光禄大夫：官名。大夫为皇帝近臣，分为中大夫、太中大夫、谏大夫，汉武帝时将中大夫改为光禄大夫，是掌管议论朝政的官。大夫中以光禄大夫最为显要。

百闻不如一见

当初,汉武帝开辟河西四郡,阻断了羌人与匈奴联系的通道,并驱逐羌人各部,不让他们居住在湟中地区。汉宣帝即位后,先零羌人强入湟中地区,与其他羌人部落缔结联盟。为了加强控制,汉朝廷决定分化他们的联盟,派遣光禄大夫义渠安国前往巡视。义渠安国到达羌中,召集先零部落首领三十余人,以桀骜狡猾之名将其全部诛杀,又纵兵袭击先零羌,激起羌人反叛。

汉宣帝就羌人反叛一事与已年逾七十的老将赵充国商量,询问担任平叛将领的合适人选。赵充国认为最合适的人选非己莫属,汉宣帝嘉许其言,任命赵充国为将。汉宣帝询问赵充国应当派遣多少人马,赵充国回答说:"百闻不如一见。战争难以遥测,应当率先实地考察。臣先驰往金城,考察之后再将作战方略上告朝廷。"汉宣帝调军随赵充国前往金城。

赵充国为人沉着勇敢，且深有谋略。天汉二年（前99年），赵充国随贰师将军李广利奉武帝之命出征匈奴，得胜返回途中遭到匈奴重兵包围，汉军绝粮数日。赵充国带领壮士百余人突围，李广利率大军紧紧跟随，终于突围而出。此战中，赵充国身受创伤二十多处。李广利上奏朝廷，汉武帝亲自接见赵充国，并查看其身上创口，赞叹不已，拜为中郎。汉昭帝时，赵充国迁中郎将、水衡都尉，之后和匈奴作战，生擒西祁王归来，升为护羌校尉、后将军。前74年，因随大将军霍光拥立汉宣帝，被封为营平侯。

赵充国到达金城，集结一万骑兵强渡黄河。因为担心遭到羌兵阻击，先派人趁夜色偷渡，在对岸设立营帐。羌人见到汉军营帐，不敢阻击，所有汉军安全渡河。赵充国用兵老成持重，非常重视向远处派出侦察兵，行军时必定做好战斗戒备，休息时则必坚固营垒，战斗前必定会制订好作战计划。面对羌人的挑战，赵充国坚守不出。

这时候，汉宣帝已征集军队六万人。酒泉太守辛武贤上奏建议率先出击羌人，用武力予以震慑。汉宣帝将辛武贤的奏章交给赵充国，并询问他的看法。赵充国认为辛武贤的计策不妥当，此次羌人反叛，以先零部落为

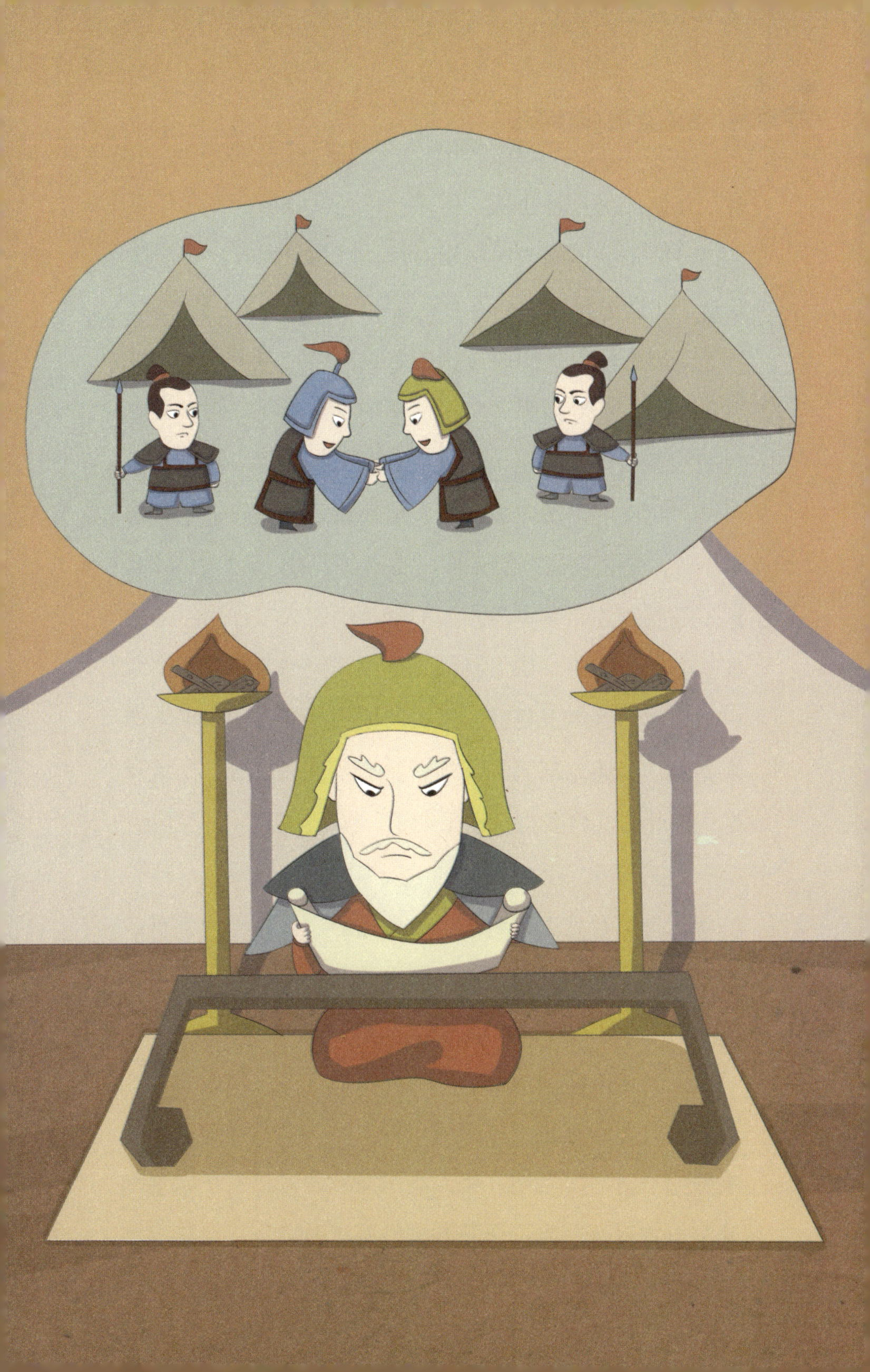

首，其他部落只是胁从。所以对待羌族各部，应当根据主谋与胁从的不同情况区别对待，严惩主谋者，宽恕胁从者，然后选择熟悉羌俗的良吏抚慰羌民，这才是上策。

汉宣帝没有采用赵充国的意见，而是命辛武贤为破羌将军，许延寿为强弩将军，率军攻打羌部，同时责令赵充国配合辛武贤作战。赵充国坚持己见，再次上书说："此次主犯是先零，而不是其他羌部。如果放着先零不管，先去攻击其他羌部，放掉有罪的，诛杀无辜的，这不是明智的。先零最担心的就是汉朝大军一到，其他部落会违背盟约。如果我们先进攻其他羌部，先零就会出兵相救，这等于帮助先零巩固他们的联盟。如果先诛杀先零，其他羌部无须劳烦一兵一卒就会臣服。"汉宣帝认为此计甚为妥当，便采纳了。

赵充国率兵至先零地区，先零因为屯兵已久，戒备松懈，忽然看见汉军到来，大为惊恐，丢弃车马辎重，落荒而逃，企图渡过湟水。因为道路狭窄，赵充国下令缓慢驱赶。有人建议说逐利宜速不宜迟，赵充国回答说："已到穷途末路的敌寇，不能逼迫得太紧。缓慢驱赶，他们就只顾着逃跑；如果逼迫得太紧，他们就会反过头来殊死一搏。"果然，羌人溺水而死者数百人，汉军纳降及斩首五百余人，俘获各种牲畜十万余头。汉军到达其他羌人部落，秋毫无犯。羌人部落相信汉军不会攻击他们，陆续前来投降。赵充国没有劳烦一兵一卒。

赵充国每次上奏，汉宣帝都会让大臣们讨论他的计策。最初，认为赵充国意见正确的人只有十分之三，后来增加到十分之五，最后增至十分之八，这都是因为他的计策逐渐收到实效。

赵充国去世后，被谥为壮侯，位列麒麟阁中。

【知识拓展】

先零羌：是古代羌人部落之一，是诸多羌人部落中较为强大的一支，最初居于今甘肃、青海的湟水流域，后渐与西北各族融合。

赵广汉治贼

赵广汉年轻时做过郡吏、州从事,以廉洁和礼贤下士闻名,因为参与大将军霍光拥立汉宣帝一事,被赐爵关内侯,升任颍川太守。颍川有大姓宗族,仗势欺人,所蓄养的宾客多为盗贼,前任太守奈何不得。赵广汉到任数月,诛杀首恶,郡中恶人大为惊恐;后又调任京兆尹,成为长安的父母官。

赵广汉礼贤下士,对待属下官吏亲切周到。每到论功之时,赵广汉总是将功劳推让给部下,并自称能力比不上他们,极为至诚。属下官吏见赵广汉如此相待,都表示愿意毫无保留地接受差遣,即使赴死也不推辞。赵广汉对属下的能力以及做事是否尽力洞若神明,如果有谁欺骗他,会当即被抓住,无一例外。在判案定案时,因为证据确凿,罪犯无法抵赖,立即服罪。

在与他人的交谈过程中,赵广汉渐渐总结出了探知实情的方法——钩距法。这种方法讲究调查，注重对比推算，结果往往十分准确。赵广汉曾对人说："我想知道马的价格，用钩距法行事，我先问狗的价格，再问羊价、牛价，最后才问马价。这样层层验证，一番比较计算后，我就知道马价是高是低了，一般不会有什么大的差错。"

赵广汉的好友对他的钩距法不感兴趣，一次好友对他说："我们在朝为官，自然不屑和商贩讨价还价，你钻研这种学问，又有什么用处呢？"

赵广汉回答说："做官的人若不熟悉民情，洞察一切，又如何能造福一方、保一方平安呢？钩距法不仅可以用来了解市场行情，用于政务，也可以让我知己知彼，对症下药。如果我偏听偏信，真不知会有多少错案发生，而真正的害群之马就会逃脱惩罚。"赵广汉上任时，长安的治安一度混乱，百姓受害的事时有发生，官匪勾结十分猖獗。面对这种严峻的状况，赵广汉召集心腹属下说："我上任伊始，并不熟悉此中内情，想打击犯罪，也不知从何下手。何况情况不明，乱下重手只会引起混乱，我想让你们暗中侦察，把盗贼的踪迹摸清。"

心腹属下面有难色，说："盗贼行踪诡秘，出入不定，在此用力难出成效。从前的官员都是有事打压，无事清闲，大人何必自讨苦吃呢？"

明光大正

赵广汉脸上肃穆，郑重道："盗贼不绝，根源乃在我们不晓其根底，从前的官员不尽职所致。我志在剿除盗贼，自然不能和从前的官员一样无所作为，这是我的命令，违者必惩！"

赵广汉命人暗中详查，表面上却故作轻松，没有更严的戒备，盗贼们以为赵广汉碌碌无为，于是放下心来，放胆胡为。一时之间，盗贼蜂拥而出，长安的治安形势更坏了。

朝中大臣上书指责赵广汉失职："京城盗贼横行，京兆尹赵广汉却放纵不管，不知他是何居心。赵广汉定与盗贼勾结，望陛下彻底肃查。"

汉宣帝也怒气冲冲地质问赵广汉："朕深居宫中，都听说宫外盗贼横行之事，你有何交代吗？"

赵广从容地说："京城重地，盗贼必须彻底剿灭，这是臣决心要做到的事。无奈贼情不明，轻举妄动便会打草惊蛇，这也是臣最担心的。臣故意装作不闻不问，只是想让盗贼悉数暴露，以便臣的属下全然摸清盗贼状况，查清他们肇事的根源，以及那些和他们勾结的差吏收取了多少贿赂。只有将这些情况都搞得明明白白，才能将他们一网打尽，让他们无法抵赖。陛下放心，臣已广布人手，侦查此事，用不了多长时间，便是盗贼的末

日了。"

不久,全面掌握贼情的赵广汉四面出击,每击必中,长安盗贼被肃之一空。在他任职期间,长安政治清明,官吏百姓赞不绝口,都认为自汉朝建立以来,没有一个京兆尹能比得上赵广汉。

【知识拓展】

西汉时期,许多地方官衙大门一侧都挂着一个瓶状的陶器,上写受吏民投书,名曰缿(xiàng)筒。这就是中国最早的举报箱,其发明者就是赵广汉。汉宣帝时,赵广汉出任颍川太守。到任后,他发现土豪劣绅结党营私成风,百姓敢怒不敢言。赵广汉受存钱罐的启发,令手下人制成形如小口瓶子、可入不可出的陶器,无论是官吏,还是百姓都可以写信举报。赵广汉根据得到的线索,打击了恶霸势力,社会秩序趋于稳定。

为汉解忧的公主

刘解忧的祖父是曾经雄霸一方的楚王,但是在汉景帝时期参与了"七国之乱",兵败身亡。从那以后,刘解忧一家一直生活在猜忌和排斥中。

当时,西域的乌孙国想与汉朝交好,汉朝派出了一位叫刘细君的公主去和亲,细君公主为乌孙国与汉朝的友好往来做出了巨大的贡献。后来她的丈夫死了,按照习俗,如果新继位的昆莫不是自己的亲生儿子,她就要嫁给新的昆莫,这种做法让细君公主无法接受,结果嫁给新昆莫没多久,刘细君就郁郁而终。为了进一步巩固汉朝与乌孙国的联盟,汉武帝最终选中了刘解忧,决定让她远嫁乌孙。

当时的乌孙是汉朝和匈奴都在拉拢的对象,所以昆莫军须靡身边有两位夫人,一位是左夫人匈奴公主,一位就是右夫人刘解忧。乌孙以左为贵,所以解忧公主的地位是稍低于匈奴公主的。但解忧公主没有退缩，她迅速完成了汉朝公主到乌孙国右夫人的转变，适应了落后的部落民族的生活，并且很快学会了乌孙国的语言。

没有多久，军须靡就去世了，而他唯一的孩子泥靡是匈奴公主的儿子，年龄尚小。于是王位传给了军须靡的堂兄弟翁归靡，不过他们有约在先，翁归靡之后，要让泥靡继位。

按照习俗，解忧公主和匈奴公主又嫁给了翁归靡。幸运的是，翁归靡和解忧公主情投意合，很快就生下了三位王子，而翁归靡对解忧公主更是百般呵护，言听计从。这惹恼了备受冷落的匈奴公主，于是匈奴公主不断向娘家告状，最后匈奴单于出面干涉，战争一触即发。

翁归靡分析了形势，上书汉朝天子，希望能够派兵帮助乌孙打败匈奴，可是当时汉昭帝刚刚去世，大臣们都忙着寻找皇位继承者，没有精力顾及西域。无奈之下，解忧公主只好小心翼翼地在乌孙国斡旋，苦苦对抗匈奴的屡次进犯，希望汉朝能够出兵帮助乌孙国。

后来匈奴单于大举进犯乌孙国，要求乌孙王献出解忧公主，断绝和汉朝的关系。面对咄咄逼人的匈奴大军，解忧公主抱着最后一丝希望向汉朝求救。此时汉朝在位的皇帝是宣帝，宣帝接到书信，派出了十五万大军帮助

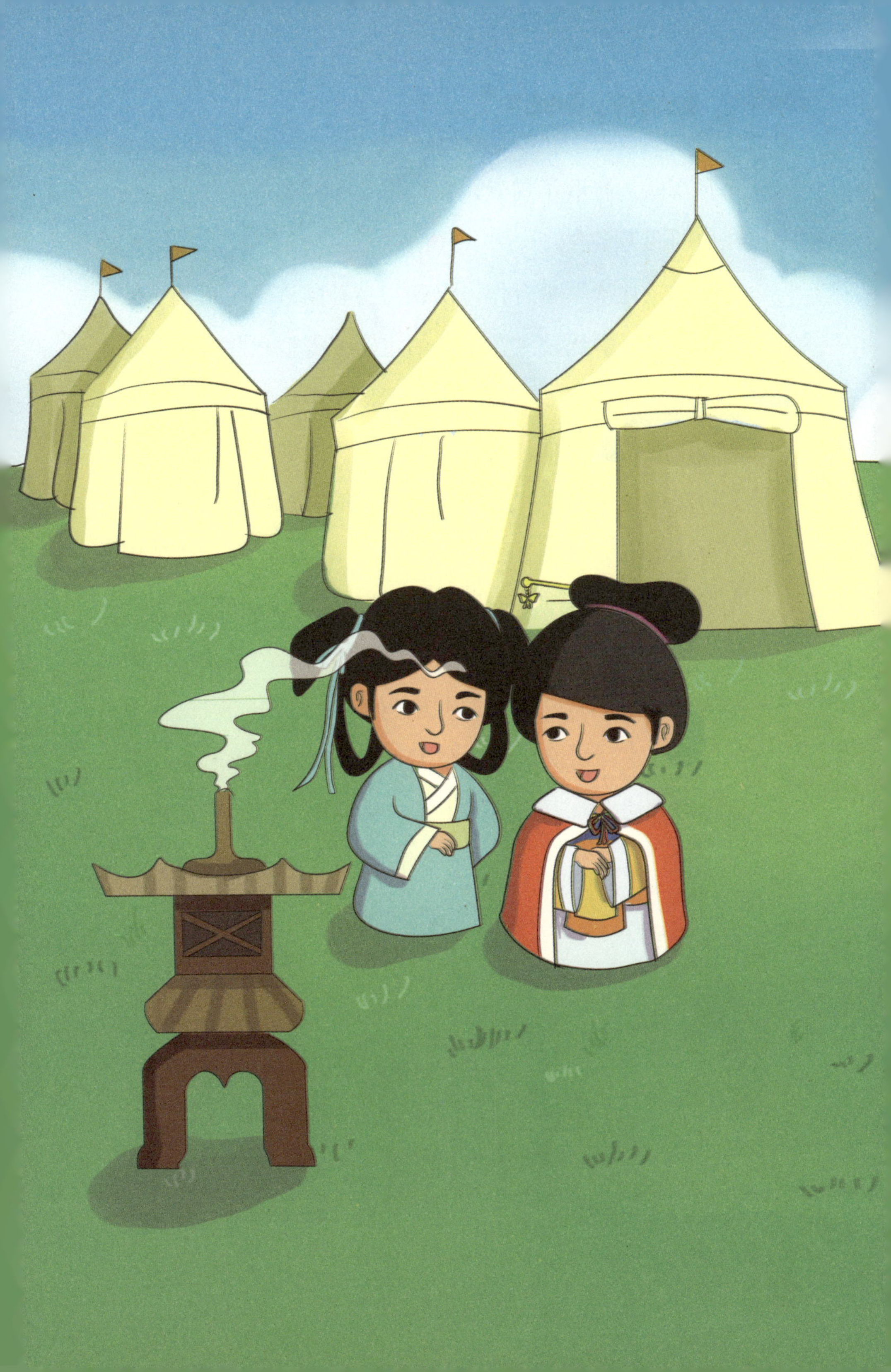

乌孙军队，打败了匈奴，还俘虏了包括匈奴单于的叔父在内的四万多人。

通过这次军事合作，汉朝与乌孙国进一步巩固了双方的友谊，解忧公主在乌孙的生活变得惬意起来。但是好景不长，翁归靡后来一病不起，于是将王位传给了匈奴公主的儿子泥靡。

泥靡又被称为"狂王"，他性格暴躁，经常为非作歹。即位之后，狂王大肆挥霍，沉迷酒色。乌孙国有很多人都看不惯狂王的做法，反对他的声音此起彼伏。不久，狂王杀了一个反对自己的兄弟，这让整个国家陷入了不安中，从此乌孙国开始动荡起来。

看到这种情况，解忧公主心急如焚，她想出了一个危险的方法。一天，她摆下了一桌酒席，请狂王赴宴，

狂王酒醉之后，解忧公主派出将士击杀狂王。狂王受伤后，酒一下子就醒了，跨上一匹马逃跑了。狂王的儿子将解忧公主围困起来，最后还是汉朝的官员救了她。

乌孙国内部的匈奴后裔一直想要报仇，最后汉朝出面把乌孙国分割成了两部分，一部分由解忧公主的大儿子统治，一部分由匈奴后裔统治，乌孙国的内乱这才算平定下来。

过了几年，解忧公主的儿子相继去世，而汉朝的实力也逐渐衰落，解忧公主在乌孙国的日子越来越不好过。所以她上书汉朝皇帝，希望能够回到故土，叶落归根。这封书信言辞恳切，皇帝也为之感动落泪，于是派人去迎接解忧公主回国。解忧公主回到汉朝的时候已经七十多岁了。

【知识拓展】

昆莫：少数民族乌孙对其国君的称呼，后又改称"昆弥"。

第一位女使节

中国的第一位女使节名叫冯嫽（liáo），她出身并不高贵，是解忧公主出塞时的一位陪嫁侍女。

冯嫽聪明伶俐，知书达理，与解忧公主总是互相鼓励，发誓要安居乌孙，不辱使命。她是女中豪杰，经常在牧场上策马奔腾，穿梭于毡帐之间帮助解忧公主联系乌孙贵族，并很快就对西域的语言文字和风俗习惯了如指掌。冯嫽虽然是解忧公主的侍女，但是两人情同姐妹，遇到困难的时候，冯嫽总是能够帮助解忧公主化险为夷。

后来乌孙国地位很高的右大将爱慕冯嫽的多才多艺，向解忧公主提出娶冯嫽为妻，解忧公主同意了这门婚事。

不久冯嫽得到汉朝的任命，以使者的身份代表解忧公主去访问邻近的西域各国，向各国赠送礼品，宣扬汉

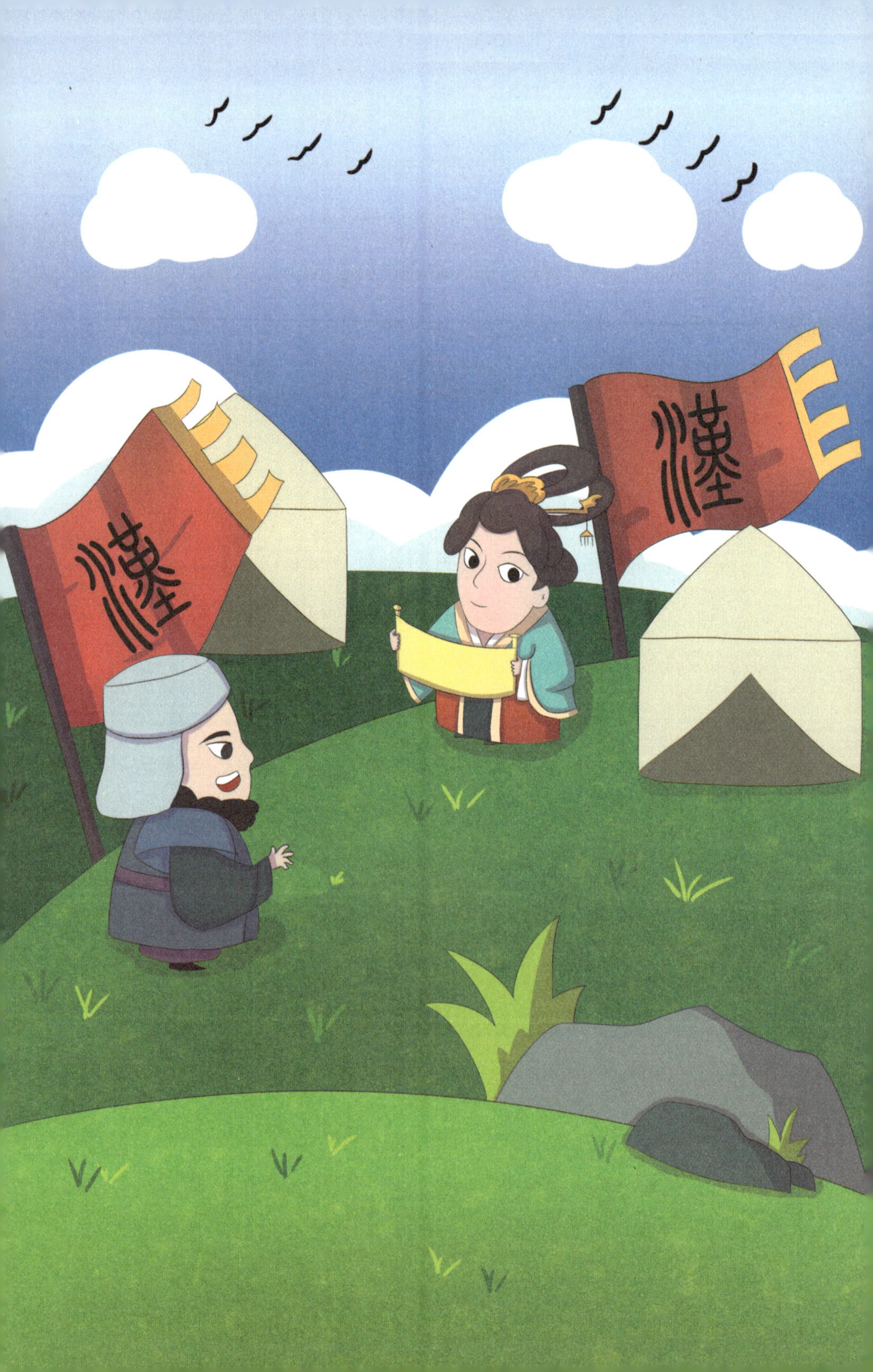
漢
漢

朝的文化。她不辞辛苦地翻越雪山，跨过大漠，经历严寒酷暑，走访了三十多个国家。每到一处，她都得到当地人民的热情欢迎。人们看到汉朝竟然以女子为使节，而这位女子大方谦恭，不卑不亢，与当地人交谈甚至不需要翻译，都尊称她为"冯夫人"。而冯嫽更是推心置腹地与各国官员聊天，帮助他们解决了很多困难，同时也宣扬了汉朝的礼仪和道德，使得汉朝的恩泽深入沙漠中的绿洲。

汉昭帝末年到汉宣帝初期，匈奴屡次进军乌孙，后来汉朝与乌孙联合反击，战胜了匈奴。不久，乌孙昆莫，也就是解忧公主的丈夫去世，国内发生了内乱。解忧公主刺杀新昆莫泥靡的计划失败后，泥靡被其弟弟乌就屠杀死，乌就屠还带着一批人马上了北山，说要请匈奴人到乌孙。

汉朝与乌孙的联盟眼看就要破裂，为了防止乌孙叛乱，汉朝派出了一万多名将士进驻敦煌，牵制乌孙。汉朝负责管理西域的长官郑吉知道乌孙的右大将，也就是冯嫽的丈夫与乌就屠的私交很深，于是就请求冯嫽去说服乌就屠。

冯嫽不顾生命危险，亲自到北山去见乌就屠。见面之后，冯嫽就开门见山地说："将军您夺了王位，看起来是一件高兴事，但是现在汉朝的大军已经到了敦煌，凭借将军的兵力能够战胜强大的汉朝军队吗？"

听了这番话，乌就屠沉默不语，思考良久，明白自己不是汉朝大军的对手，就对冯嫽说："我愿意听从夫人的劝告，但是希望皇帝能够给我一个封号！"冯嫽答应替他争取。

为了更清楚地了解西域的情况，汉宣帝下令冯嫽回国。冯嫽回到故都长安时，文武百官都在城郊迎接她。京城的百姓得到这个消息，也不约而同地涌向街道，希望能够一睹女使节的风采。宣帝见到冯嫽之后，详细询问了规劝乌就屠的经过，冯嫽建议皇帝给予封号安抚乌就屠。于是宣帝任命她为正使，出使乌孙。冯嫽手持汉节，把乌就屠招至面前，宣读诏书，宣布封解忧公主的大儿子元贵靡为大昆莫，乌就屠为小昆莫，两人分而治之。至此，乌孙的内乱得到了圆满解决。

第一位女使节

后来，元贵靡去世，解忧公主的孙子星靡继位。解忧公主思乡心切，奏请回朝。得到皇帝的许可后，她带着冯嫽一起返回了长安。

谁知不久，乌孙的局势又动荡起来。冯嫽主动向皇帝提出回到乌孙，帮助星靡稳定局势。当时汉宣帝刚刚去世，汉元帝不忍心让一个七十多岁的老人家出使遥远的西域，但是看到冯嫽的一片爱国之心，最后也只好同意了。

于是，冯嫽又一次踏上了出塞之路。她在一百多名士兵的护送下回到了乌孙。乌孙的百姓听说冯夫人回来了，骑马跑来迎接她。来到乌孙之后，冯嫽白天帮助星靡处理国政，晚上教他学习如何治理国家。

就这样，冯嫽在乌孙耗尽了自己所有的心血，最终乌孙国泰民安，而汉朝和乌孙的友好关系也一直延续下来。

【知识拓展】

乌孙：西汉时游牧民族乌孙在西域建立的行国，位于巴尔喀什湖东南、伊犁河流域。西汉文帝时，被匈奴击溃的月氏打败乌孙。匈奴收留乌孙余部，帮助他们远征伊犁河、楚河流域的大月氏，大获全胜，并在那里建国，以族名命名为乌孙国。乌孙国曾经是西域最强大的国家，后来与西汉建交，西汉宣帝时分裂为二，五世纪为柔然所灭。

明犯强汉者，虽远必诛

汉宣帝时期，匈奴内乱，五个单于争夺大位。呼韩邪单于和郅支单于都把儿子送入汉朝做人质，以示臣服之意。呼韩邪单于入京朝见，郅支单于趁机攻占其地，然后又兼并呼偈、坚昆、丁令三家之地。后来，因为怨恨汉朝偏袒呼韩邪单于，郅支单于辱杀汉使谷吉等人，自知得罪汉朝，逃入康居（西域国名）。

汉朝前后派出三批使者前往康居，向郅支单于要回谷吉等人的尸首，均遭到郅支单于的羞辱。郅支单于狂妄自大，不肯遵奉汉帝诏令。建昭三年（前36年），汉元帝命令西域都护甘延寿和副校尉陈汤率兵前往康居斩杀郅支单于。

陈汤为人沉着勇敢，筹划周密而富有谋略，渴望建立非凡功业。每次路经高山大川时，陈汤都会登高而望，认真观察地形。此次出兵远征西域，陈汤对甘延寿说：

"西域各国原本就臣服于匈奴，现在郅支单于威名远播，对不屈服于自己的国家侵扰不断，现在他居地偏远，没有坚固的城池作为屏障，也没有强劲的弓弩。如果我们征调屯田之兵，再配合使用乌孙国的军队，直接攻击郅支单于，到时兵临城下，他无处可逃又抵挡不住，我们便可建立千载留名的功业。"甘延寿认为陈汤分析得很有道理，打算将他的意见上奏朝廷，等得到批准后再行动。

恰好此时，甘延寿生病不起，陈汤果断采取了行动。想要取得胜利，皇帝派的兵马远远不够，于是陈汤伪造了圣旨，调集了汉朝和西域多国兵力共四万余人，准备发起进攻。甘延寿得知消息后，大为震惊，想要立即阻止陈汤。陈汤大怒，手按剑柄，叱责甘延寿说："大军已经集合完毕，你打算阻止大军吗？"

甘延寿、陈汤一方面因为伪造圣旨而上奏请罪并陈述理由，另一方面发动大军向康居进发。他们兵分两路，一路大军沿南道越过葱岭，穿过大宛王国，另一路大军则从北道穿过乌孙国，进入康居国。康居国副王抱阗率领数千骑兵，攻击乌孙国，然后从后方追赶汉军，并夺得大批辎重。陈汤命西域兵迎战，俘获康居副王的亲属及一些贵族，经过安抚后，他们愿意作为向导。于是大军迅速挺进都赖水边上，在距离郅支单于三里处的地方安营扎寨，构筑战争工事。

陈汤在观察形势后，下令将单于城四面包围，然后发起猛攻。战斗开始后，郅支单于全身披甲，在城楼上指挥作战。他的数十名阏氏全都参与战斗。康居国一万余人的骑兵也前来救援郅支单于，与匈奴守军相互呼应。康居国趁夜色多次向汉军进行偷袭，但都无功而返。在天亮之际，陈汤下令纵火为兵，汉军将士大为振奋，乘火势再次发起猛攻，从四面破城而入。郅支单于率一百余人逃入王宫，汉朝将士争先冲入，郅支单于身受重伤而死。

大胜之后，甘延寿、陈汤将郅支单于的首级传至京城，并向汉元帝呈上一份豪迈的奏章："臣闻天下之大义，当混为一，昔有唐虞，今有强汉。匈奴呼韩邪单于已称北藩，唯郅支单于叛逆，未伏其辜，大夏之西，以为强汉不能臣也。郅支单于惨毒行于民，大恶通于天。臣延寿、臣汤将义兵，行天诛，赖陛下神灵，阴阳并应，天气精明，陷阵克敌，斩郅支首及名王以下。宜悬头槁街蛮夷邸间，以示万里，明犯强汉者，虽远必诛！"

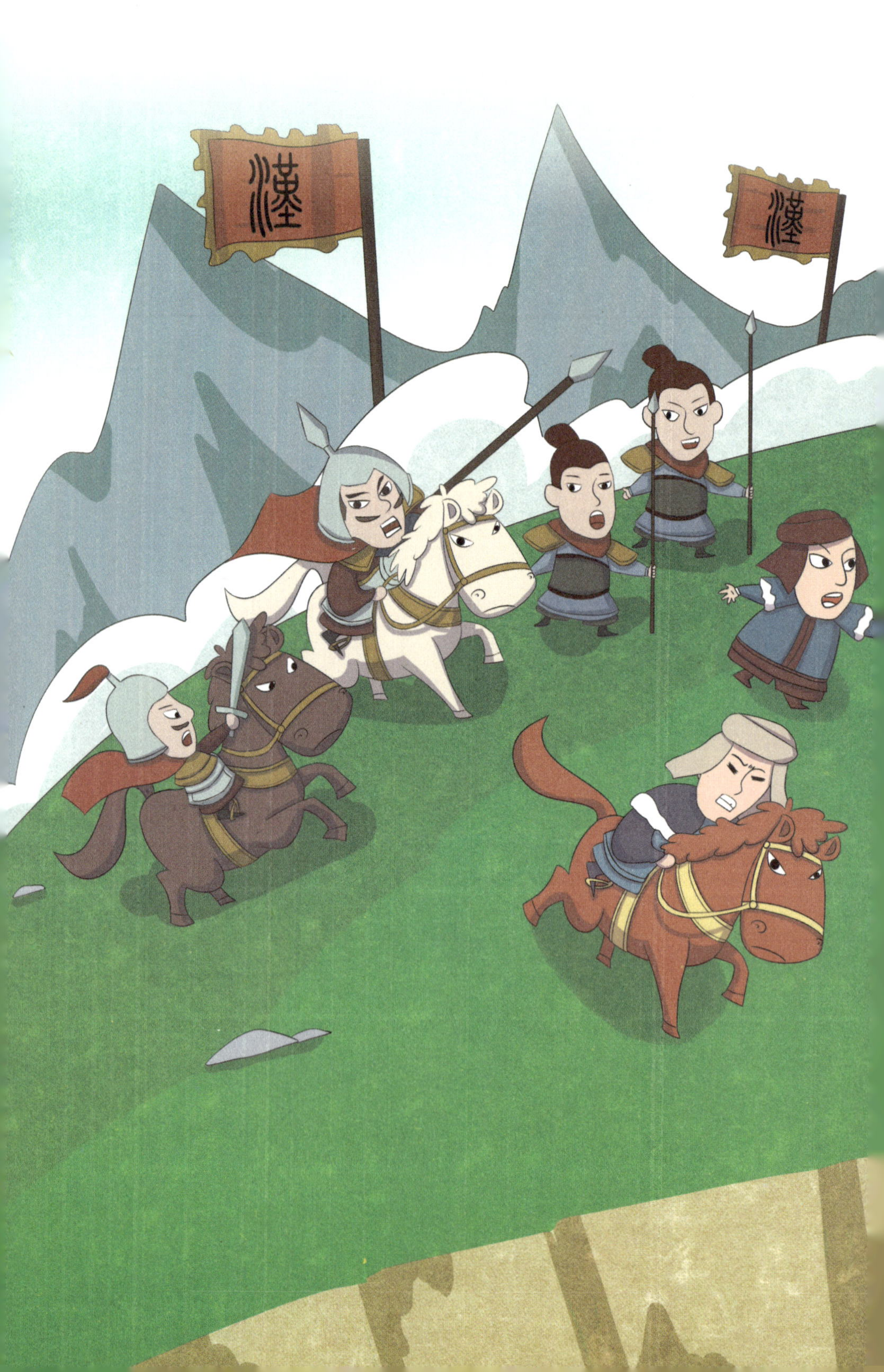
漢
漢

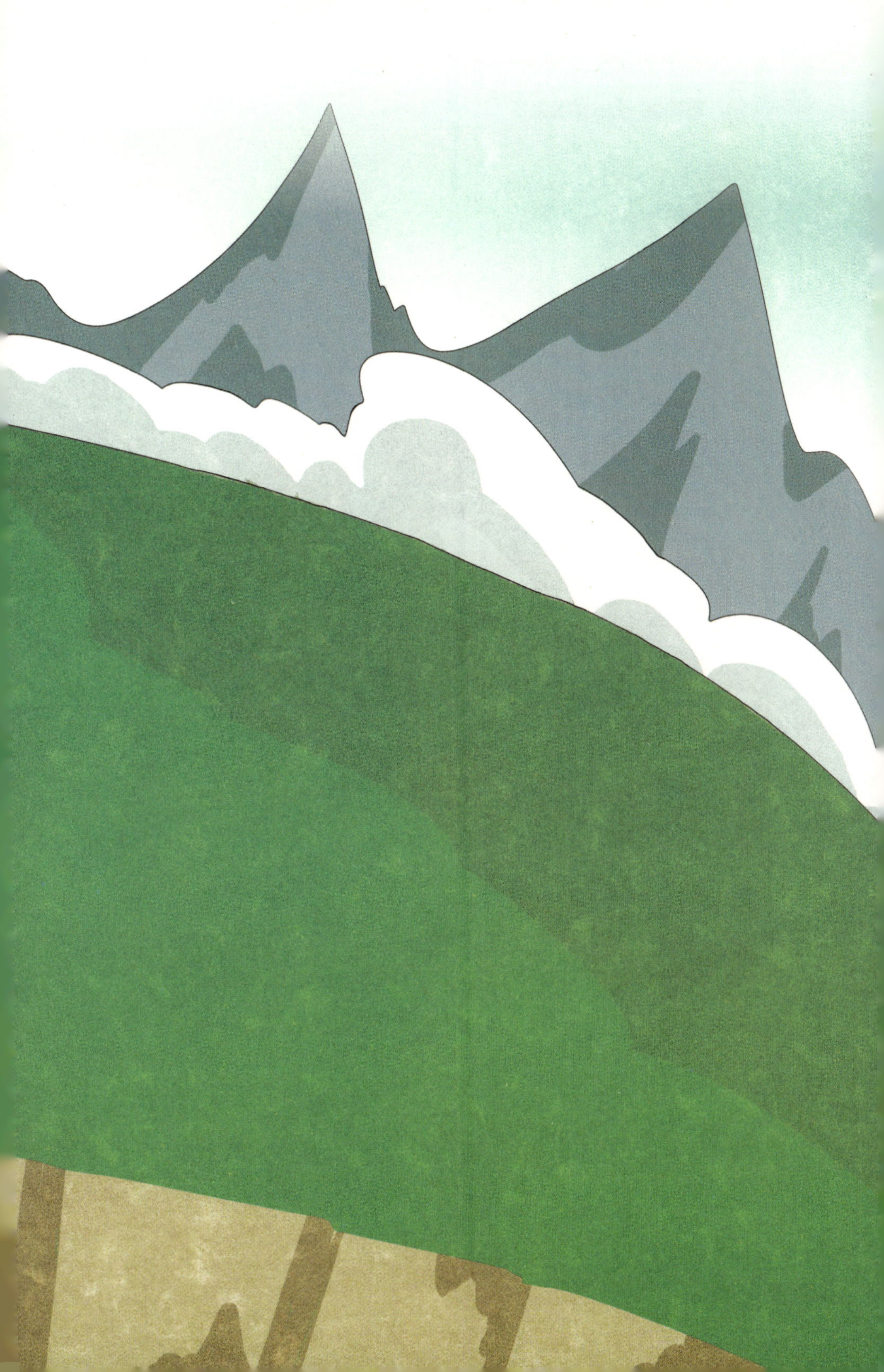

【知识拓展】

前60年,为了管理统一后的西域,西汉在乌垒城(今新疆轮台)建立西域都护府,最高军政长官西域都护,主要职责是守境安土,协调西域各国间的矛盾和纠纷,制止外来势力的侵扰,维护西域地方的社会秩序,确保丝绸之路的畅通。第一任西域都护为郑吉。

昭君出塞

王昭君，原名王嫱，出生在长江三峡附近一个叫作秭归（今湖北兴山）的地方。她只是一个普通人家的女子，但是体态婀娜，面容姣好，家里的人都对她十分宠爱，而且秭归生活着这样一个美女的说法也早就传遍了整个地区。

后来汉元帝刘奭（shì）征召天下美女来补充后宫，王昭君早就被当地官员列入了名单之中。当时的汉元帝已经四十多岁了，身体日渐衰弱。而王昭君在宫里虽然吃得好穿得好，但就像笼中的小鸟和池塘中供人观赏的小鱼一样，没有自己的生活，每天能做的就是等待着被皇上召见。她的命运随着匈奴单于呼韩邪的到来改变了。

早在汉宣帝时期，匈奴就发生了内乱，五个单于各自为政，彼此之间征战不休。其中一个单于叫作呼韩邪，他被别的单于打败后，逃到汉朝朝见汉宣帝。

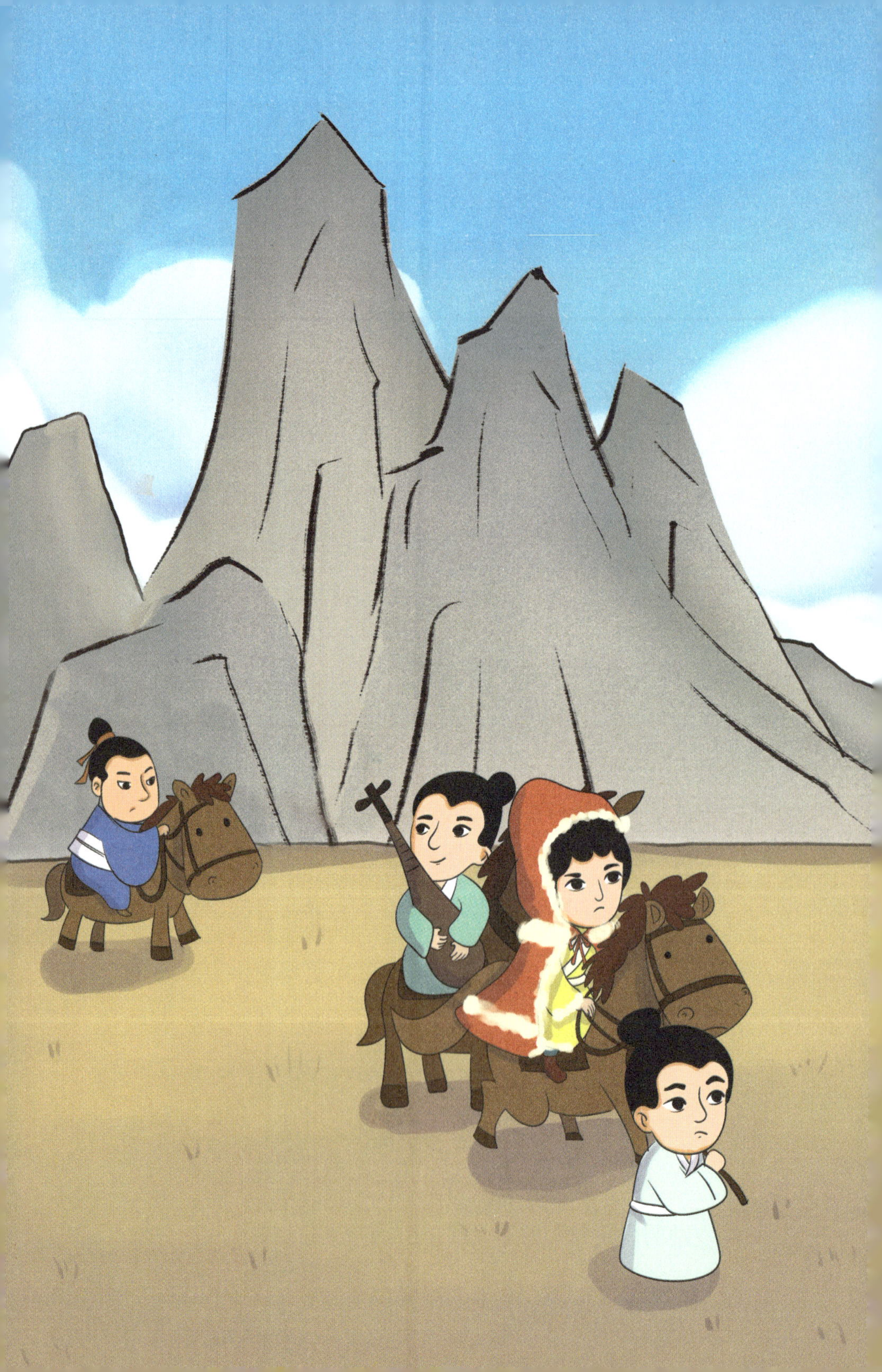

因为呼韩邪单于是第一个到中原来朝见的匈奴单于，汉宣帝十分重视，所以亲自到长安的郊外去迎接他，并且举行了盛大的宴会来招待他。这位呼韩邪单于在长安住了一个多月，这一个多月中他不仅得到了皇上的礼遇，而且官员也对他很尊敬。呼韩邪单于回匈奴的时候，汉宣帝派出了两个将军带领着一万多士兵把他送到了漠南。这时候，匈奴正在闹粮荒，知道这件事情之后，汉宣帝马上派人给呼韩邪单于送去了三万四千斛的粮食。呼韩邪单于对此十分感激，而西域的其他国家看到汉朝皇帝对呼韩邪单于这么好，也纷纷与汉朝接触，希望能够建立友好的关系。

前33年，呼韩邪单于再一次来到汉朝，向汉元帝提出了和亲的请求。当时的局势下，匈奴已经不像以前那样强大，相对而言，汉朝要比匈奴有实力得多，汉元帝决定赐给呼韩邪单于一个宫女。

宫女们一听这个消息，都很开心，因为皇宫中的生活并没有想象中那般奢华，如果不能得到皇上的宠爱，就只能在宫里熬着等死，有些宫女一辈子都没有见过皇帝。所有的宫女都说自己想要出去。但是派来的官员说："不过，这次出宫是去和亲，要去匈奴。"听到这话，宫女们一下安静了。这时候，一个坚定的声音

响了起来："我去！"大家抬头望去，原来是平时自视甚高的王昭君。大家都纷纷劝她："你可要想好，去了匈奴可能就再也回不来了！"王昭君犹豫了一下，还是坚定地点了点头。

呼韩邪单于临行之前，皇帝召见和亲的女子，他看到王昭君之后，一时不敢相信后宫竟然还藏着一个如此美貌之人，顿生悔意，很想把王昭君留在身边，又不能失信于人，只好放王昭君远去了。王昭君临行之前，汉元帝赏赐给她很多精美的布匹和黄金美玉，并且亲自送出长安十多里。

王昭君在车马和士兵的簇拥下离开了长安，出了雁门关，过了一年多才到达漠北。一到漠北，她就受到了匈奴百姓的热烈欢迎，并且被封为"宁胡阏氏（yān zhī）"，意思就是匈奴有了汉朝的女子做"阏氏"，从此匈奴的安宁就有了保障。

王昭君到匈奴后，呼韩邪单于和她十分恩爱，两人的生活倒也幸福美满，后来王昭君为呼韩邪单于生下了一个儿子，这个儿子被封为右日逐王。三年后，呼韩邪单于去世。随后大阏氏的长子雕陶莫皋继承了王位，按照匈奴的习俗，王昭君改嫁给雕陶莫皋做妻子。昭君是幸运的，这位年轻的单于对王昭君也很怜爱，后来

昭君又生下了两个女儿，这两个女儿后来嫁给了匈奴的贵族。

第二任丈夫死了之后，昭君没有再嫁，而是积极地为维护匈奴和汉朝之间的关系而努力。不过后来王莽改制使得匈奴不再尊重汉朝，边疆地区又开始混乱起来。

看到自己苦心维持的和平遭到破坏，昭君最终在绝望中死去，被葬在了大黑河（今内蒙古呼和浩特）的南岸，她的墓地又被称作"青冢"。传说是因为入秋之后塞外的草都会变得枯黄，只有昭君墓上的草还保持着郁郁葱葱的绿色，所以人们把她的墓地又叫作"青冢"。

【知识拓展】

"和亲"最开始是汉高祖时期提出来的,但是吕后只有一个女儿,舍不得把她嫁到遥远的塞外,所以去和亲的公主一向是从刘氏宗亲中挑选一个女孩作为公主嫁出去的。

为色杀子的汉成帝

班婕妤是越骑校尉班况的女儿,聪明伶俐,是中国历史上有名的女辞赋家。汉成帝被她的美貌和才情吸引,所以天天都和她待在一起。班婕妤不仅文学造诣高,而且对历史也很熟悉,经常引经据典,开导成帝。

虽然得到皇帝的专宠,但是班婕妤从不恃宠而骄,相反她谦虚谨慎,总是劝告成帝要以国事为重,遵守国家的法律制度。有一次,汉成帝去后花园游玩,想要和班婕妤同乘一辆车。皇帝乘坐的车子,要以绫罗作为帷幕,以锦褥作为坐垫,由两个人在前面拖着走,被称为"辇"。皇后和妃嫔乘坐的车子,是不允许与皇帝相同的。因此班婕妤说:"臣妾曾经观赏过古时的图画,发现了这样一个情况:古时候圣明的君主,出行都是贤臣陪伴左右;而那些亡国之君才会与自己的宠妃同游。现在陛下想要和臣妾同乘一辆车,恕臣妾不能从命!"

成帝听后很高兴，连连夸奖班婕妤贤惠。后来这件事情传到了王太后的耳朵里，太后夸奖道："古有樊姬，今有班婕妤！"后来班婕妤生下一个皇子，不幸数月后夭折了。从那以后，班婕妤虽然受宠，但没有再为皇帝生下孩子。

不过，成帝风流成性，所以他并不满足于身边仅仅有一个班婕妤。有一次他来到了阳阿公主家，在这里他遇到了绝色美女赵飞燕。赵飞燕是阳阿公主家的舞女，体态轻盈，舞姿曼妙。中国人喜欢用"燕瘦环肥"来形容女性各具特色的美貌，其中"燕"指的就是赵飞燕，"环"是指杨贵妃。成帝一见到赵飞燕就被迷住了，于是希望公主能把赵飞燕送给自己。

赵飞燕获宠之后，赵氏家族的人大多得到了封赏。当时王太后和许皇后的家族势力庞大，人少族微的赵家根本无法与之抗衡。为了巩固自己的势力，赵飞燕入宫后不久就把妹妹赵合德推荐给了汉成帝。

眼看着赵飞燕的气焰越来越嚣张，身为皇后的许氏也无可奈何。后来许皇后的姐姐给她出了个主意，设坛作法，祈求上天赐她一个皇子。不料这件事情被赵飞燕知道了，一心想做皇后的赵飞燕终于找到了扳倒许皇后机会。她跑到成帝面前说许皇后在宫中作法诅咒朝廷，

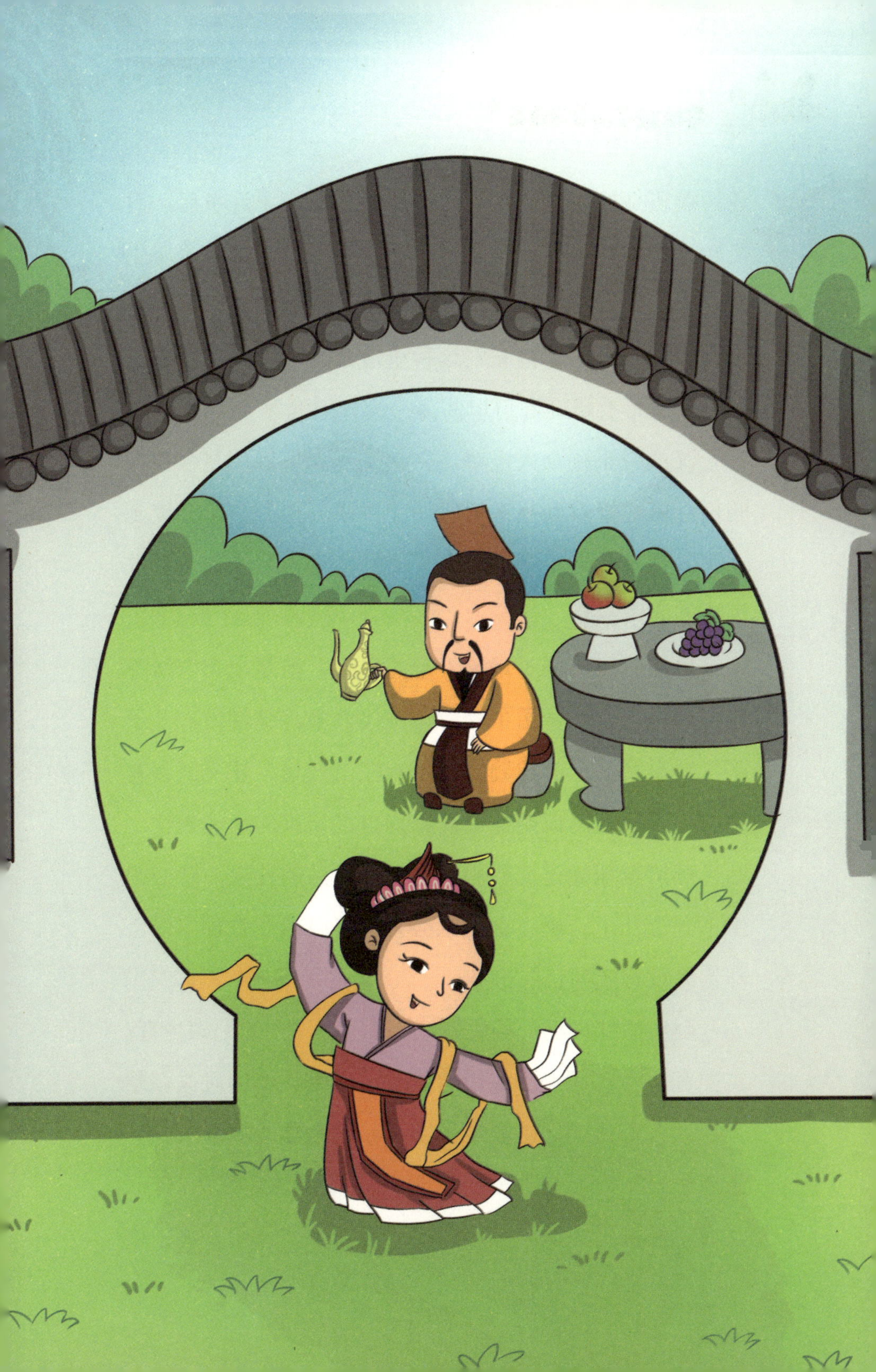

还污蔑班婕妤也是同谋。成帝盛怒之下废了许皇后，而班婕妤则不卑不亢地辩解道："臣妾知道富贵有命，生死在天。每天严格要求自己尚且不一定能得福，何况是这种诅咒别人的事情呢？这种事情我不敢做，也不屑于做。"成帝看班婕妤坦坦荡荡，没有追究。

汉成帝不顾众人反对，立赵飞燕为皇后，赵合德为昭仪。班婕妤看到赵氏姐妹如此骄横，担心自己会遭到杀害，于是就向皇帝请求去长信宫侍奉太后，皇帝批准了她的要求。

虽然赵飞燕成了母仪天下的皇后，但是她和妹妹都没能为皇上生下一男半女。在古代社会，皇帝没有儿子不仅是皇帝自己的问题，也影响江山社稷，让文武百官都担心不已。赵氏姐妹也开始为自己未来的命运担忧。赵飞燕清楚地知道，要想永远保住皇后的桂冠，就必须生下一个儿子。她一直为此努力，可用尽了各种方法，却始终没有成功。

赵氏姐妹自己没能生育，所以也不许别的妃嫔生育。宫中有个女官怀上了成帝的孩子，到生孩子的时候，赵合德派人毒死了她，取走了婴儿。这个婴儿被乳母抚养了十一天就被带走了，从此下落不明。后来许美人怀孕，汉成帝派御医去探视，还赐了名贵的中药保胎，终于生下了一个儿子。但是赵合德知道之后,就在汉成帝面前哭闹了一场,逼着汉成帝亲手掐死了自己的儿子。

前7年,汉成帝死在赵合德的怀抱中,至死也没有一个亲生的孩子。后来他的养子刘欣继位,是为汉哀帝。

【知识拓展】

樊姬:春秋时期楚庄王的姬妾。楚庄王喜欢狩猎,樊姬多次劝谏,但是收效甚微,樊姬便不吃禽兽之肉,楚庄王于是减少狩猎勤于政事。樊姬认为楚庄王的宠臣虞丘子虽贤不忠,因为他未曾进贤,也没有斥退不肖之人。虞丘子听说后,推荐孙叔敖担任令尹,楚国大治,楚庄王称霸。

王莽改制

汉元帝的皇后王政君有八个兄弟,都在朝中掌握大权,唯独弟弟王曼早死,所以她对王曼的儿子王莽尤为怜惜。

王莽待人接物谦恭有礼,而且勤奋向学,广结名士,因此颇有声誉。王莽的伯父大司马王凤在病重之时,王莽服侍极为殷勤,一连几个月都在身边照顾,不肯解衣睡觉。因此王凤在临死之前,把这个侄子托付给已经是太后的妹妹王政君以及汉成帝,王莽因此被任命为黄门郎,后又升任射声校尉。不久之后,叔父王商上书,请求将自己的封地分给王莽。

受到汉成帝的器重后,王莽的行为愈加谨慎,态度愈加谦恭。他把自己的车马衣物全部用来接济门客,自己则家无余财,因此许多官员向皇帝赞誉他的德行,王莽的声誉隆盛无比。

王莽改制

不久之后，叔父王根推荐王莽接替自己，于是王莽继四位伯父叔父之后成为大司马，年仅三十八岁。王莽修养不倦，聘请贤良人士充当门客，并将皇帝的赏赐和封国的收入全部用来供养名士，自己则越发俭朴。他的母亲生病，官员们前往探望，王莽的妻子出来迎客，穿着极为简朴，官员们都误以为是奴婢，一问之下才知道是王莽的妻子。

汉哀帝继位后，他的祖母定陶国傅太后与丁皇后的外戚得势，王莽只得卸职隐居于新都封国。在闲职期间，王莽闭门不出，安分谨慎。这时，王莽的二儿子王获杀死了家奴。王莽严厉地责罚王获，并迫令他自杀。

汉哀帝即位不多久就去世了，因为没有子嗣，所以掌管传国玉玺的太皇太后王政君重新夺回大权，王莽也再度得势，重新担任大司马。新即位的汉平帝是一个九岁的小孩子，完全受大司马王莽的摆布。王莽用小恩小惠收买人心，拉拢地主阶级和知识分子，结交官僚贵族。当他认为准备妥当后，就毒死平帝，立孺子婴为皇帝，由他辅政，称"摄皇帝"。但这样，王莽还不满足，逼迫孺子婴将皇帝大位"禅让"给他。登上大位后，王莽将国号改为"新"，把长安改为"常安"。

王莽当政后，面临着严重的社会危机。为了维持新

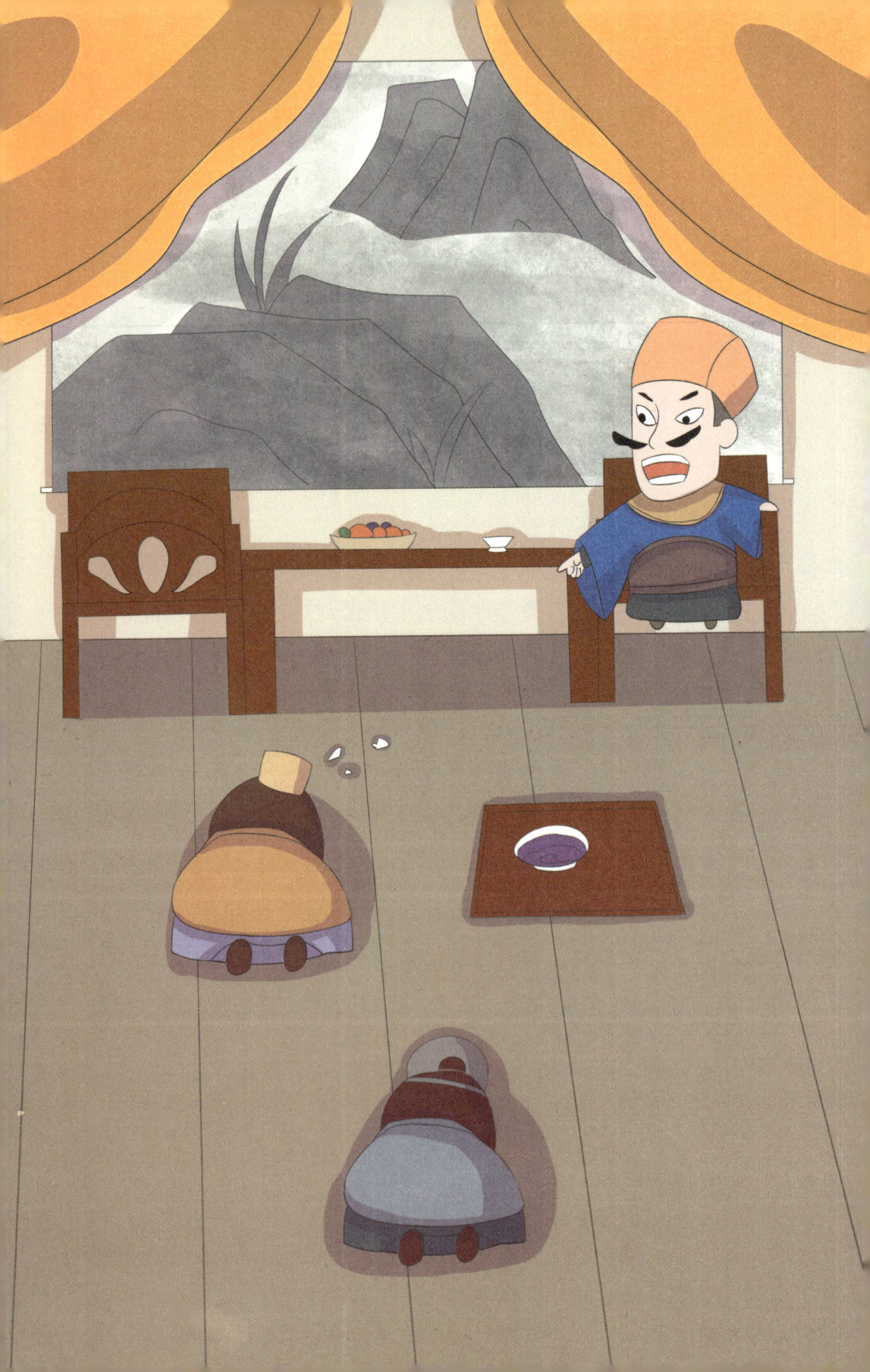

朝的统治，他打出《周礼》的旗号，宣布实行改制。9年，王莽宣布全国土地改称"王田"，不许买卖。仿照古代井田制，规定一家男夫不满八口而田过一井（九百亩），多余的土地分给九族、邻里、乡党。无田的人，一夫一妇可以受田百亩。同时，他还把私家奴婢改称"私属"，也不许买卖。王莽推行的改革，不仅没有解决社会土地问题，反而把农民禁锢在"王田"里当牛做马；不仅没有解放奴婢，反而把占有奴婢作为制度固定下来。这实质上是复古倒退的改革。

王莽多次实行币制改革，使用了五物（金、银、龟、贝、铜）、六名（钱货、黄金、银货、龟、贝货、布货），共二十八种货币。不仅货币名目繁多，而且将早已失去货币功能的原始货币，如龟壳、贝壳等拿来使用，造成了严重的经济混乱，货币贬值。每改革一次，就是王莽集团对人民的一次大搜刮。大量的黄金、白银流入他们的腰包。王莽死时，仅他身边就有六十万斤黄金和无数的珠宝。

王莽的改制未能消除西汉末年以来的社会危机，反而使各种矛盾进一步激化，终于导致了大规模的农民起义，新朝遂告灭亡。

【知识拓展】

王政君：魏郡元城县（今河北大名）人。汉元帝的皇后，汉成帝的母亲，阳平侯王禁的女儿，中国历史上寿命最长的皇后之一。其身居后位（包含皇后、皇太后、太皇太后）时间长达六十一年。汉哀帝去世后，夺取传国玉玺，支持王莽出任大司马，把持朝廷大权。得知王莽篡汉，王政君愤怒地把玉玺砸在地上，碎了一角，不久忧愤而亡。

昆阳之战

王莽篡汉,建立"新"政,实行改制之后,激化了本就尖锐的社会矛盾,加之水旱蝗虫等自然灾害,中原大地饿殍满地、哀鸿遍野,各地纷纷揭竿起义。

北方的赤眉军和南方的绿林军是当时众多农民起义军中实力最强大的两支力量。起初赤眉军的声势较为浩大,势力几乎遍布北方各个州郡,王莽将重心放在剿灭赤眉军上。南方的绿林军则一路攻城略地,接着刘玄称帝,建立更始政权。刘玄派刘縯率领主力围攻战略重地宛城,并遣将攻下昆阳、定陵、郾县等地,以保障主力顺利攻克宛城。王莽这才意识到绿林军的威胁,便征调各郡兵马共四十二万,号称百万,由大司空王邑和大司徒王寻率领,从洛阳南下援救宛城,企图一举消灭绿林军。

王邑、王寻率领先锋部队十万兵马先到达昆阳,立即形成包围之势。

绿林军将领听说王莽大军将至，都心生惧意，想要回到各自的驻地。偏将军刘秀力劝大家团结抗敌，只有集中力量才有取胜的可能，否则就会被各个击破。众人便让刘秀提出抗敌之策，最后决定由王凤等固守昆阳城，刘秀、李轶等十三人则缒城而出，调集援军，与昆阳城内守军内外夹攻王莽大军。

王邑为了显示雄厚的实力，将昆阳城层层包围，设置了一百多座军营，旌旗蔽空，军鼓之声远传数十里。王邑集中所有弓弩向城内射击，昆阳城内的箭矢像暴雨倾注，城中居民外出打水都要背着一块门板，以防中箭。城中的绿林军不过一万人，难以长久支撑，王凤等绿林军守将曾一度产生动摇，向王邑乞降，但是王邑认为昆阳城指日可下，不接受王凤的投降。这样一来，城中的绿林军将士意识到，坚守到援军到来是唯一的生路，于是浴血奋战，击退了敌军数次进攻。

正当双方在昆阳胶着对峙，刘秀、李轶等十三人在定陵、郾县紧急调集各路援兵，但是一些将领贪惜自己的财物，只想就地留守，不愿赴援昆阳。刘秀对他们说："如果能战胜敌军，珍宝财物要比现在多万倍，我们的大事也可成功；如果被敌人击败，脑袋都保不住，还谈什么金银财物呢？"于是各路将士随刘秀、李轶前往昆阳救援。

刘秀、李轶征调援军一万余到达昆阳，为了鼓舞士气，刘秀率领一千余精锐骑兵作为前锋冲击王莽军队，李轶率主力随后。王邑见援军人少，只派出几千人迎战。刘秀策马冲向敌阵，斩杀数十人，跟随的将领都高兴地说："刘将军平时看到小股敌人都十分害怕，今天见了大敌反而勇猛非常，真是了不起。以后你就率领我们，共同破敌！"接着刘秀又向敌军发起猛攻，歼敌近千人，士气大振。

此时宛城在绿林军的长期围困下，内无粮草，外无援军，宛城守将终于被迫投降。但是这个消息并未传到昆阳，刘秀为了鼓舞士气，瓦解敌军斗志，假传宛城已破，绿林军主力不出几日就会增援昆阳。他将这一消息写成密信，射进昆阳城内，同时故意让王莽的士兵得到。王莽军队获此消息后，大为沮丧。

在心理上取得绝对优势后，刘秀挑选三千勇士组成敢死队，迂回到城西，涉过昆水，直攻王邑中坚。王邑、王寻轻视刘秀，自以为很容易击溃刘秀，因而只率领万余人巡视阵地，并下令各营严格管束自己的部队，在没有得到命令的情况下，不准擅自出兵。王邑、王寻亲率

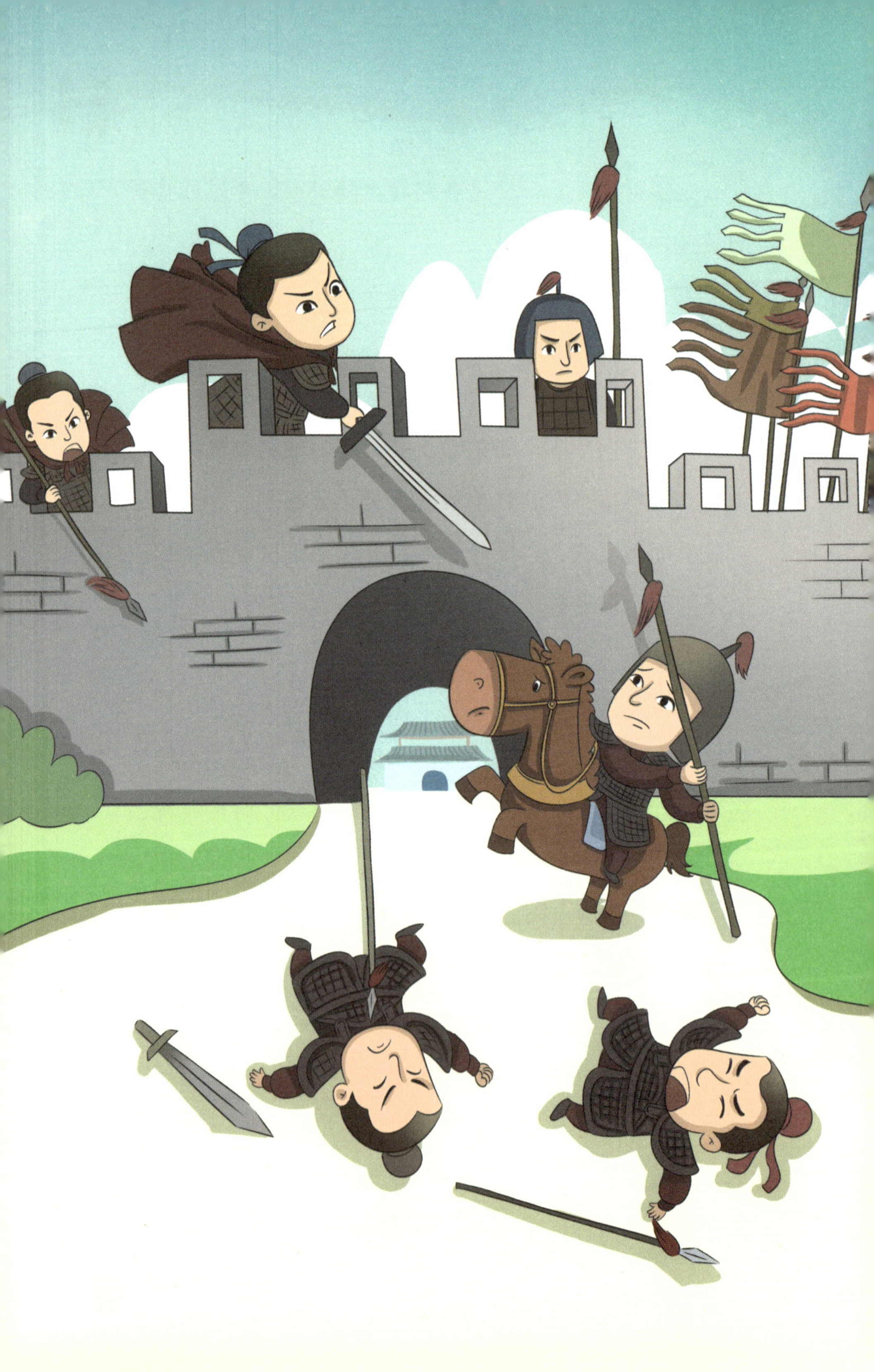

一万余人迎战刘秀，一经交锋就被刘秀率领的绿林军敢死队击溃。王邑的其他部队因为没有得到命令，所以不敢轻举妄动，王邑、王寻就这样在没有人支援的情况下被击垮，王寻在阵中被斩杀。

因为王邑、王寻的溃败，王莽军阵脚大乱。昆阳城内的绿林军见刘秀大胜，于是打开城门冲杀出去，与刘秀内外夹攻。王莽的军队是由被强迫征来的贫苦百姓组成的，他们本来就心有怨恨，遭此内外夹攻，更是无心恋战，纷纷丢盔弃甲而逃，王莽四十二万大军迅速瓦解。绿林军大获全胜。

昆阳一战，绿林军消灭了王莽的主力军队，加速了王莽新朝的灭亡。刘秀在此战中树立了威信，为以后建立东汉王朝奠定了基础。

【知识拓展】

绿林军：新莽末年兴起的一支农民起义军，最初经常隐藏在绿林山中（今湖北京山境内），所以被称作绿林军。新莽末年，天灾人祸不断，荆州一带出现严重饥荒，许多饥民聚集在一起，共推王匡、王凤为首领，形成了一支武装力量。

赤眉军：新莽末年，天下大乱之际，一支农民起义军在樊崇的带领下，以泰山山区为根据地，转战山东、江苏一带。几年之间，队伍迅速发展到数万人。为了便于与敌人区分，士兵都将眉毛染成赤红，所以称"赤眉军"。

刘縯：东汉光武帝刘秀的同胞哥哥。新莽末年，他与刘秀等人率七八千人起义，号"舂陵兵"，自称柱天都部。后与绿林军合并，更始政权建立后，被任命为大司徒。昆阳之战后，因为功劳卓著而遭到猜忌被杀。

刘秀称帝

王莽改制，造成天下大乱。在汉景帝一脉的宗室子弟中，有一个人叫刘縯，他平时为人慷慨磊落，倾尽家财以结交天下豪杰，想要成就一番大事。他的弟弟刘秀则多有权术和谋略，处世谨慎异常。从长安学成归来，已经是二十八岁的刘秀并没有像大哥刘縯那样跃跃欲试，仍旧在田地里干农活。所以，刘縯笑刘秀老实安分，没有远大志向，就像汉高祖的弟弟。等天下烽烟四起的时候，深虑良久的刘秀知道天变已成，时机已经到来，于是开始招兵买马，助大哥刘縯起兵。

昆阳一战，刘秀击败王莽四十二万大军，给了新朝最致命的一击，刘縯和刘秀兄弟在绿林军中建立了极高的威望。绿林军攻占长安后，其他将领担心刘縯兄弟的势力太大，难以驾驭，便建议更始帝刘玄除掉刘縯。

正在四处征战的刘秀得知兄长被杀，悲痛不已。

他深知兄长被杀的真实原因，这种杀身之祸很快也会降临到自己的头上，但自己的力量不足以抵抗更始帝，如果不采取行动就只能束手待毙。为了消除更始帝的疑心，刘秀立即赶到宛城向更始帝赔罪，称大哥以下犯上，实属咎由自取。刘秀在刘玄的身边表现得极为谦逊，从来没有居功自傲，有人问起昆阳大战的情形，他避而不谈。刘秀不敢私下接见大哥的旧部，也不敢为自己的大哥戴孝，照常吃饭喝酒，有说有笑，一点也没有流露出悲痛的心情，然而在夜深无人的时候他总是泪流不止。

刘縯无辜被杀，刘秀又表现得如此谦恭，这让更始帝心有惭愧，于是封刘秀为破虏大将军。这只是一个名义上的官职，并没有实权。

绿林军攻占长安，王莽新朝覆灭。当时全国存在多股割据势力，其中河北的形势最为复杂，能不能得到河北是统一天下的关键。有人向更始帝建议，让刘秀去河北招抚，更始帝也觉得刘秀是不二人选，但更始帝及众多绿林军首领仍对刘秀心存顾忌。就在更始帝犹豫不决的时候，冯异建议刘秀用大量金银贿赂刘玄宠信的左丞相曹竟。

23年，刘玄任命刘秀为大司马前往河北招抚各个郡

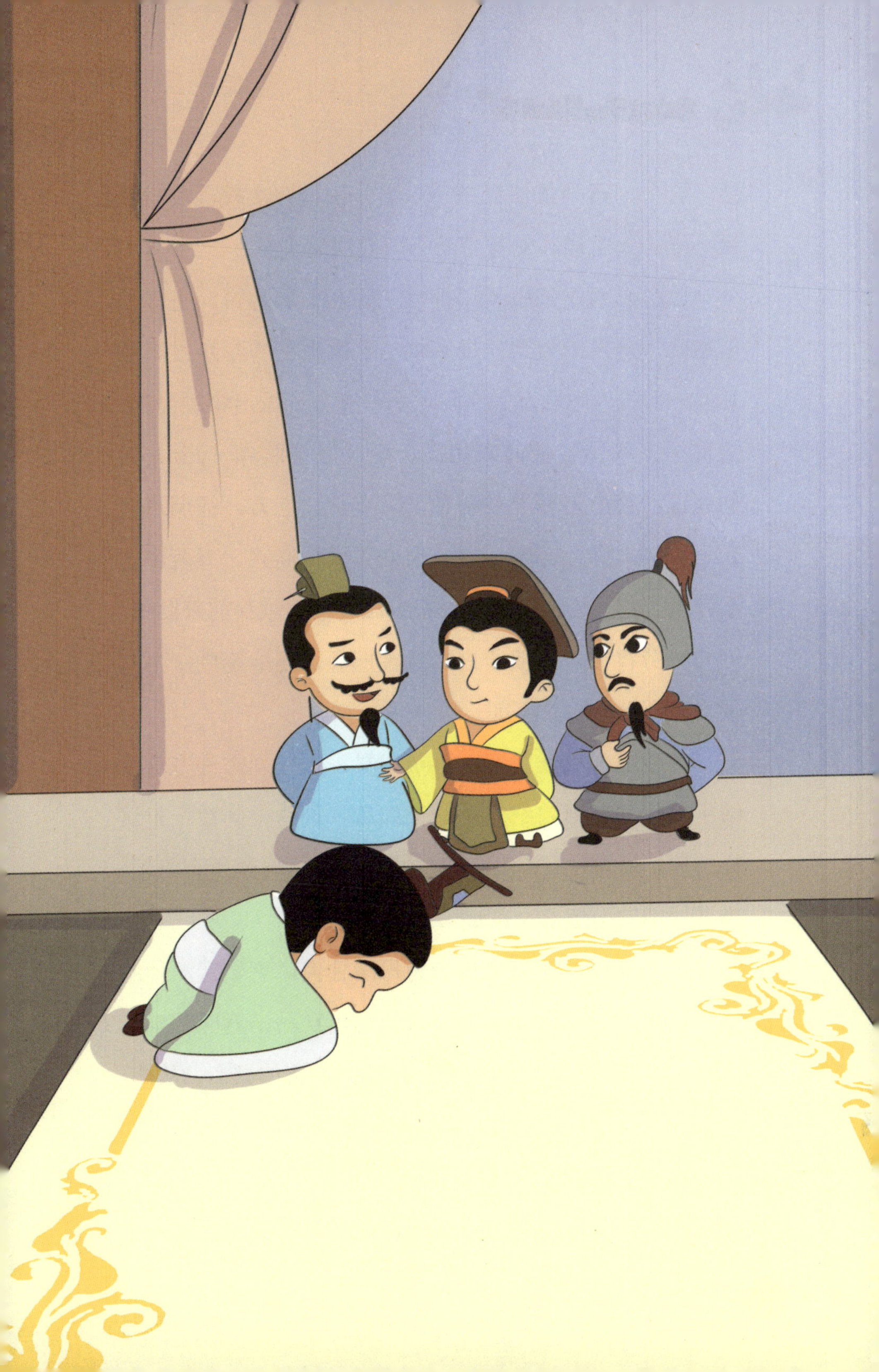

县。这个大司马依然只是一个名号，没有实权，没有一兵一卒。就这样，刘秀带着心腹向河北进发。

此时，西汉宗室子弟拥立王郎在邯郸称帝。王郎发出檄文，悬赏十万户侯捉拿刘秀。就在刘秀举步维艰的时候，上谷太守耿况、渔阳太守彭宠分别派出将领吴汉、寇恂等人率领骑兵前来相助。耿况之子耿弇（yǎn）对刘秀说："渔阳和上谷两郡，拥有骑兵上万，征调这些兵马攻打邯郸，必定破城。"刘秀大为高兴，兴两郡之兵讨伐王郎，此时更始帝刘玄也派遣谢躬领兵前来助阵。刘秀犒劳将士后，随即进军包围邯郸，连战连胜，不久便攻破邯郸，斩杀王郎。

此战前，敌众我寡，胜负难料，所以刘秀许多部下暗中写信与王郎勾结。杀死王郎后，刘秀得到数千封这样的信。刘秀没有追究信函的事情，而是召集所有将领，当着他们的面把信全部烧毁。

刘秀在河北的声望和势力日渐壮大，更始帝派使臣去河北册封刘秀为萧王，要求他交出兵马，返回朝廷。刘秀以河北尚未平定为借口，拒绝了刘玄的诏命。从此，刘秀和更始政权决裂。

为了平定整个河北，刘秀征发十郡骑兵攻打铜马军。两军相垒，刘秀没有急于交战，任铜马军如何挑战，只

刘秀称帝

是坚守不出。之后,趁铜马军外出抢掠时,刘秀派遣一支军队截断了铜马军的粮道。一个多月后,铜马军因为粮食不继,趁夜色退军。刘秀率军追击,大败铜马军。又经过几次激战后,铜马军不敌,向刘秀投降。投降的将帅全被封为列侯,但他们还是心有不安,担心刘秀不信任自己。刘秀为了打消他们的疑虑,命令他们召集部队,然后独自骑马巡视各部。投降的将士说:"萧王待人这样真诚,我们哪里还能不以死效力呢?"于是对刘秀心悦诚服。

刘秀将铜马军的精壮士卒编入军中,人马达到几十万,所以关西的人都称刘秀为"铜马帝"。25年,已经带甲百万,割据河北的刘秀在众将的拥戴下,在河北鄗(hào)地的千秋亭登基称帝,史称"汉光武帝"。为了表示重兴汉室之意,刘秀仍然以"汉"为国号,史称"东汉"或者"后汉"。

【知识拓展】

吴汉：在投靠刘秀之前以贩马为业，喜欢结交豪杰之士。刘秀在河北招抚时，他趁机劝说渔阳太守归附刘秀。之后他屡立战功，是东汉开国名将，"云台二十八将"之一。

寇恂：出身于世家大姓，投靠刘秀后，多次为刘秀坚守后方，为其提供军资，使刘秀在征战之时没有后顾之忧，是"云台二十八将"之一。

耿弇：东汉开国名将，23年跟从刘秀起兵，后来以过人的勇略帮助刘秀平定齐地，被刘秀赞为"韩信第二"，为"云台二十八将"之一。

东汉第一功臣

刘秀是一个很善于发现人才和任用人才的帝王,在他争夺天下的过程中,有无数英雄豪杰追随他,邓禹就是其中的一个。

邓禹很有学识,且善于识人。西汉末年,王莽改制引起了全国人民的反抗,各地都有农民发动起义,讨伐王莽。其中的绿林军拥立刘氏的宗室刘玄做皇帝,这就是更始皇帝。这支队伍中很多人都知道邓禹,认为他是个人才,年轻有为,而且文武双全,所以纷纷向更始帝推荐。但是邓禹认为刘玄很难成就大事业,一直不肯答应。

23年,绿林军推翻了王莽的统治,攻下了长安,但局势仍然十分紧张,因为归顺刘玄的地区仅有洛阳、长安和南阳一带,而其他地区仍然分属不同的起义军。为了巩固政权,刘玄派刘秀以大司马的名义渡过黄河,去安抚黄河北部的郡县。

邓禹听到这个消息后,马上渡河去追赶刘秀,一直追到邺城(今河北磁县)才追上。两人坐在一起讨论了很长时间,邓禹为刘秀分析当时天下的形势,劝刘秀招揽各路英豪,收买人心,然后自立为王。从那以后,刘秀经常与邓禹商讨国事,很快邓禹便成了刘秀最信任的谋士。

邓禹不仅善于运筹帷幄,还能带兵打仗。24年,在平定王郎的战役中,刘秀派邓禹带领几千人,去攻打乐阳。之后,邓禹又跟随刘秀击退了王郎的横野将军刘奉。后来邓禹与大将军盖延联合进攻黄河以北的起义军"铜马军"。盖延先于邓禹到达,被铜马军围困在保城。邓禹一来就粉碎了铜马军的包围圈,然后又与刘秀一起打败了铜马军。

刘秀称帝之后,邓禹带领部队去攻打箕关(今河南济源),然后围攻安邑(今山西夏县)。在那里击败了前来解围的刘玄援军数万人,还斩杀了刘玄一员大将。很快驻扎在洛阳的更始大将王匡等人又带了十几万大军来攻打邓禹。邓禹被打了一个措手不及,将军樊崇战死,手下的将士们顿时惊慌失措,纷纷劝邓禹撤退,但是邓禹坚持第二天整军再战。第二天早晨,王匡派出所有的士兵攻打邓禹，邓禹下令不要轻举妄动。等到王匡来到邓禹大营附近，邓禹下令出击，王匡等人弃军逃走。

邓禹善于发现人才，他推荐的人最后都能获得刘秀的肯定。刘秀在夺取黄河北部土地的时候，任用了很多邓禹推荐的人才，势力发展很快，不久就攻下了河内郡。刘秀认为河内郡地形险要，是兵家必争之地，所以想选一个可靠的人来把守河内。他问邓禹谁能够担此大任，邓禹说："寇恂是个文武双全的人，还善于管理，他是最合适的人选。"刘秀很信任邓禹，很快就拜寇恂为河内太守。事实证明，寇恂果然把河内治理得很好。

37年，刘秀完成了统一全国的大业。邓禹被封为高密侯，食邑达四县之多，邓禹的弟弟邓宽也被封为明亲侯。刘秀封赏功臣的时候说，现在天下已定，开国的功臣劳苦功高，不希望他们再为国操劳，因此给他们的封赏就是授予爵位，而没有给他们任何官职。

邓禹回到了自己的封邑，从封邑获得的钱财，他也没有用来置田养士。这一点让刘秀对他大加赞赏。56年，刘秀让邓禹回到朝廷参与朝政，这在东汉的开国功臣中是十分罕见的。

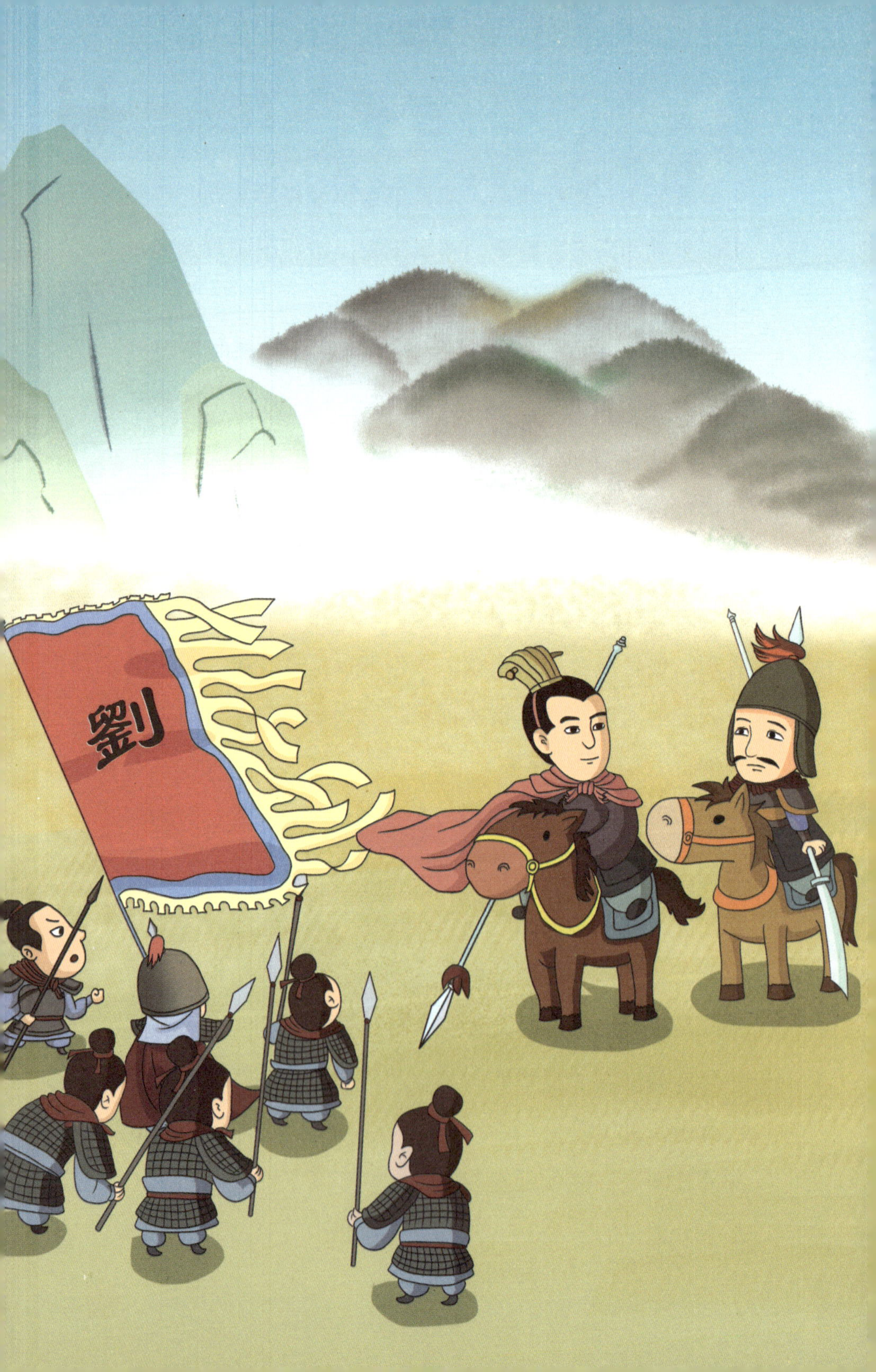
劉

东汉第一功臣

明帝即位之后,邓禹被封为太傅,这是东汉最高的官职。邓禹死后,他的子孙也都做了大官。东汉时期,邓家一直是地位显赫的名门望族。

【知识拓展】

寇恂曾担任颍川太守,平定祸乱,有政绩。离任后跟随光武帝一同驾车南征,再至颍川,百姓请求再借寇恂留任一年,光武帝准许,史称"借寇恂"。后世用"借寇恂""借寇"表示挽留地方官,称赞其政绩。

大树将军

冯异是刘秀的得力大将,战功卓著,被列入"云台二十八将"。冯异为人谦恭,当刘秀手下的其他将领争述功劳的时候,他总是在大树下靠着休息,从不参与其中,因此得到"大树将军"的美名。

冯异最初在新莽朝任职,为王莽守父城。刘秀率绿林军攻打父城,久攻不下。一次,冯异出城巡视所属各县,被绿林军捉住。当时刘秀的部下中有人了解冯异的才能,便将冯异推荐给了刘秀。刘秀与之交谈,冯异见刘秀举止不凡,说:"冯异一介匹夫,不足以左右强弱。我的老母亲还在城中,如果让我回去,愿意以五个城池前来归附。"冯异回到父城之后,与一起守城的将领商量归降一事,商量已定,而刘秀已经率兵而去,此事只得作罢。后来刘秀再次经过父城时,冯异当即开城迎接。

归附刘秀后,冯异多次献计,先是帮助刘秀脱离更始帝的控制，出巡河北；到达河北后，又建议刘秀大力体恤百姓。在刘秀因为被王郎悬赏捉拿而陷入困境时，冯异一直跟随左右。

25年，刘秀在河北鄗城的千秋亭登基称帝，定都洛阳，建立东汉政权。此时，赤眉军拥立傀儡皇帝刘盆子，督兵三十万攻打占领关中的绿林军。更始帝调兵遣将，严阵以待，但是仍没能抵挡住赤眉军的进攻。不久之后，更始帝请降，绿林军由此覆没。起初，刘秀得知绿林军和赤眉军两支势力最大的起义军激战，立即派大司徒邓禹领兵进入关中，以观时变。赤眉军击败绿林军后，开始向长安的邓禹发动攻击。邓禹力战不敌，只得退出长安。于是，刘秀任命冯异为征西大将军，去关中接替邓禹讨伐赤眉军。

冯异率领的军队在华阴遭遇赤眉军，两军对抗六十多日，激战几十个回合，双方不分胜负。邓禹因为自己身受重任却没有建立任何功劳，感到非常羞愧，多次率领疲惫的士卒勉强对赤眉军发动进攻，总是无功而返。于是他率领车骑将军邓弘与冯异会合，要求一同攻打赤眉军。冯异说："我与贼军对峙已经有几十天了，虽然多次擒获敌将，但贼军余众尚多。可以用恩德信义逐渐瓦解他们，很难凭武力一举将他们打败。皇上现在派遣

诸将屯扎在黾池扼住敌军的东面,而我则率军攻击敌军的西侧,定能一举荡平贼军,这是万全之计。"

邓禹、邓弘没有接受冯异的建议。邓禹令邓弘出击赤眉军,赤眉军佯装败退,丢弃辎重而逃。其实,这些辎重上装载的全是土,只是在最上面覆盖了一层豆子。邓弘的士兵饥饿,见到豆子,争相收取。这时赤眉军杀了个回马枪,邓弘溃败。幸得冯异与邓禹合兵救援,才使得赤眉军稍微退去。

冯异认为士卒饥倦,应当暂时休整,邓禹不听,又与赤眉军战,最终大败而回,死伤三千多人。此战之后,邓禹只带着二十四骑逃回宜阳;冯异也抛弃了战马,只带着几个部下逃回营寨。此后,冯异坚守不出,聚拢散卒,召集各营寨人马数万,与赤眉军约期会战。

在会战的前一天,冯异令手下壮士把眉毛染成红色,并穿上赤眉军的衣服乔装成赤眉军,预先埋伏在道路两侧。会战当天早上,赤眉军用一万人的部队攻击冯异前部,冯异分出一小部分兵力救援前部。赤眉军见冯异军势弱,于是集中兵力攻打冯异。到了下午,待赤眉军气势衰减,伏兵加入战斗,因为装扮一样,赤眉军不能识别,都惊散溃逃。冯异率兵追击,在崤底大破赤眉军。

战后,刘秀下玺书犒劳冯异:"赤眉得破,众将士

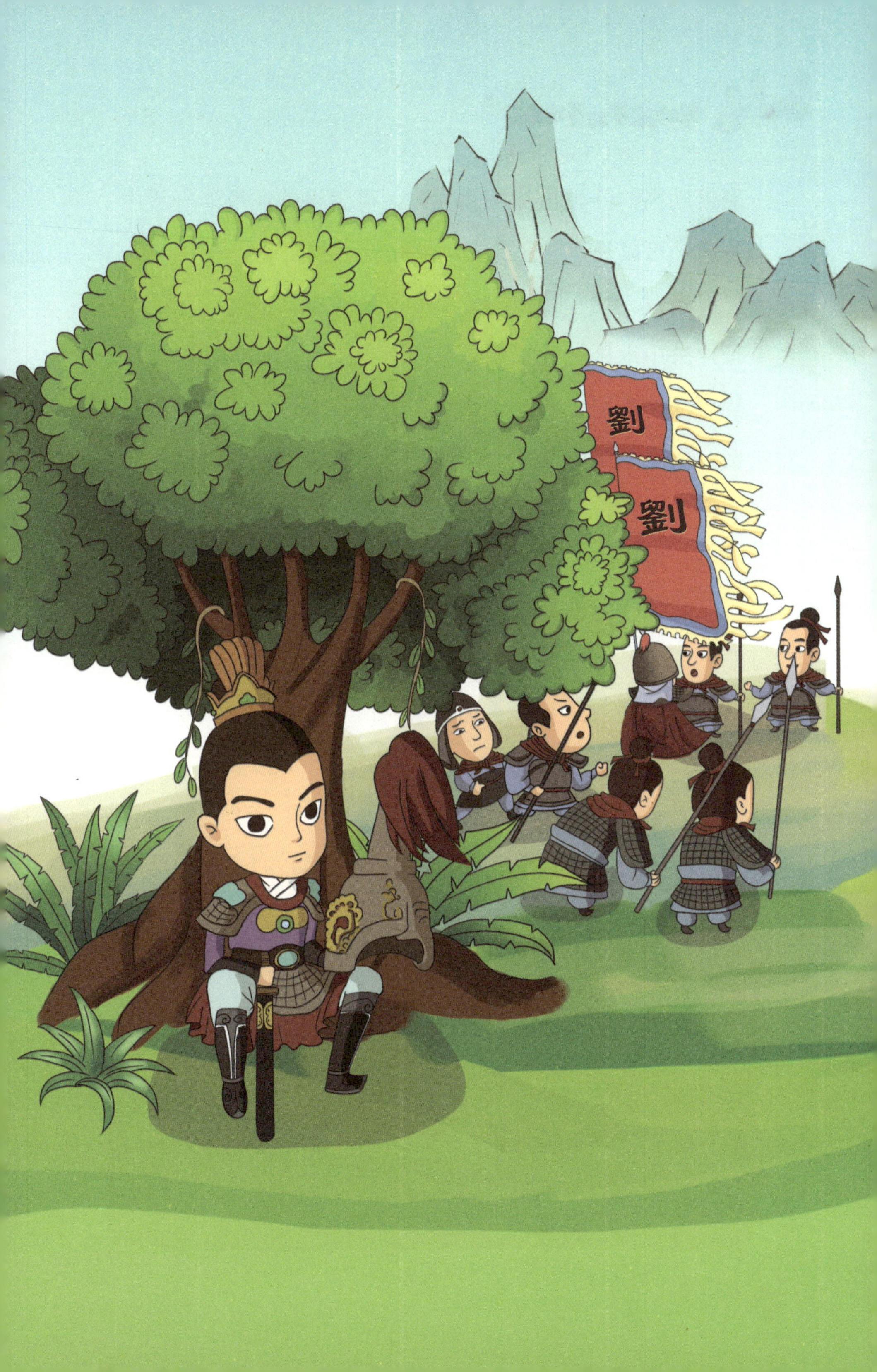
劉
劉

劳苦功高，开始虽然折戟大败，可最终能在黾池一战中奋起，可以说是早上失去的，在晚上收回了。"

击败赤眉军后，冯异率军平定关中，经过三年的治理，关中地区一片繁荣景象。有人上奏刘秀："冯异威望崇高，深得民心，恐怕会在关中称王。"刘秀毫不理会，反而安抚他说："我和将军，名为君臣，情同父子，我们之间还有什么嫌疑呢？"为了彻底消除冯异的疑虑，刘秀让冯异的家眷一同前往关中。

【知识拓展】

云台二十八将：指跟随汉光武帝刘秀南征北战的二十八员大将。汉明帝仿汉宣帝图画麒麟阁十一功臣，命人在洛阳南宫云台阁画了这些大将的画像，称为"云台二十八将"。两汉时期经常以天象比拟人事，把云台二十八将与二十八星宿相对应，这就是"云台廿八宿"。

董宣强项

东汉洛阳令董宣执法刚正严明,不避强豪,被刘秀称为"强项令",即脖子硬、不低头、不屈服的县令。

光武帝刘秀建立东汉政权,定都洛阳。在天子脚下,豪族世家、强权显贵自然非常多,这些人倚仗自己的权势为非作歹,因此洛阳可以说是最难治理的一个地方了。43年,以执法刚正闻名的董宣走马上任,担任洛阳令,而此时的董宣已经是一个六十九岁的白发老者。董宣上任后不久,就遇到一件极为棘手的案子,案子牵涉光武帝的大姐湖阳公主。

湖阳公主的一个家奴在白天行凶杀人,事发后躲进湖阳公主的府第以求庇护。董宣立即下令捉拿凶手,可是凶手一直藏在湖阳公主的府里不敢出来。湖阳公主是皇亲国戚,小小的县衙官吏又怎么敢进屋搜捕凶犯。无

可奈何之下，董宣只好令人监视湖阳公主的府邸，下令只要凶犯出现，立即将他逮捕归案。

终于，董宣等到了机会。一天，湖阳公主出门，犯罪的家奴陪同。董宣发现后，立即起身拦下湖阳公主的马车。董宣一手抓住缰绳，一手拿着刀在地上来回划。湖阳公主被人挡驾，怒不可遏，大声叱责董宣。但董宣毫不畏惧，大声责备她包庇罪犯。湖阳公主的家奴被董宣的凛然正气摄住，躲在马车里不敢露面。董宣上前一把将他揪出，就地正法。

湖阳公主被一个小小的洛阳令如此无礼对待，在大庭广众之下颜面尽失，于是带着满腔怒火赶往皇宫，将事情告诉了光武帝。光武帝听后，不禁怒上心头，想要惩治这个不知好歹的洛阳令来替姐姐出这口气。光武帝立即招来董宣，要用杖刑将董宣打死。

董宣从容不迫地对光武帝说："请陛下允许我说几句话，然后再处死我。"

光武帝说："你死到临头了，还有什么话说？"

董宣说："陛下平定天下后，偃武兴文，以法治国，这是百姓之福。现在却纵容家奴滥杀无辜，还要处死按律执法的臣子，如果这样，还谈什么依法治国？不需要陛下下令，请允许我自行了断。"说完，董宣就用头撞

董宣强项

向石柱，顿时血流满面。

光武帝见到这样一个刚烈的臣子，大为吃惊，立即命人将其拦住。光武帝意识到了自己的错误，怒气也消了，对董宣说："念你忠诚为国，朕就不治你的罪了。可是你冒犯公主，让她颜面有损，为了让公主有个台阶下，你就给她叩个头赔罪吧。"董宣认为自己没有过错，于情于理都不能叩头赔罪，便拒绝服从命令。光武帝没有办法，就示意太监，按着董宣的脑袋迫使他向湖阳公主叩头赔罪。六十九岁的董宣用双手强撑着地，硬挺着脖子，始终不肯低头。

一旁的湖阳公主见光武帝不能制伏一个小小的洛阳令，便对光武帝说："你还是平民百姓的时候，家里经常窝藏在逃的罪犯，官府奈何你不得。现在当了皇帝，权力至高无上，为什么连一个小小的县令也制伏不了？"光武帝笑着回答说："做天子跟做平民不一样。"然后转过头对董宣说："强脖子县令，你可以出去了。"后来，光武帝赏给这个刚正不阿的洛阳令三十万钱，董宣将这些赏赐全都分给了手下官吏。

这件事情过后，京城里的豪强贵族都对董宣忌惮三分，仗势欺人的行为较以前大为收敛。董宣打击豪强从不手软，因此被京城的人称为"卧虎"。董宣担任洛阳

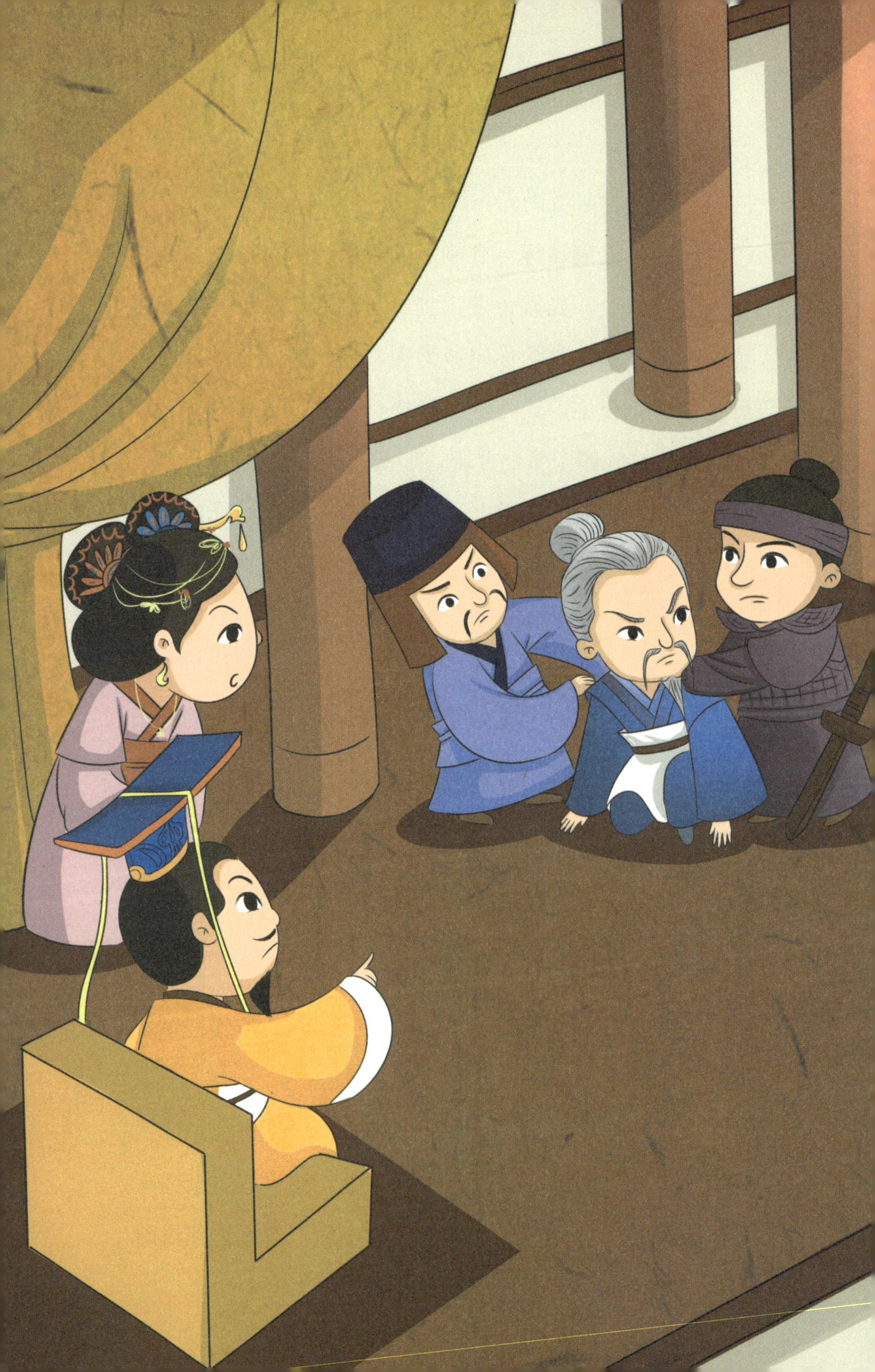

令五年，七十四岁死于任上。光武帝得知董宣去世，派人前去吊唁，使者看到只有单布裹着的董宣尸体，家中只有几斛大麦和一辆破旧的车乘。使者回去将自己看到的情形告诉光武帝，光武帝大为感伤，下令以大夫礼仪厚葬董宣。

【知识拓展】

洛阳：别称洛邑、洛京，因地处洛水之阳而得名，是中国历史上建都最早、朝代最多、历时最长的城市。洛阳市有二里头遗址、偃师商城遗址、东周王城遗址、汉魏洛阳城遗址、隋唐洛阳城遗址等五大都城遗址。

伏波将军马援

马援年轻时有大志，自幼与兄长马况生活。与马援年纪相仿的朱勃十二岁就能背诵《诗经》和《尚书》，经常拜访马况。刚开始读书的马援见朱勃言谈举止温文尔雅，自愧不如。马况察觉到马援的心思，对他说："朱勃早慧，但非远到之器，聪明才智到这也就差不多尽了。你是大器晚成，将来成就一定在他之上。"朱勃未满二十岁就被征为代理县令，而等到马援拜将封侯的时候，朱勃还只是一个县令。

因为家境贫困，马援辞别兄长，想要去边郡一带种田放牧。马况勉励他："你是大器晚成的人，能工巧匠不会轻易把还没雕琢好的玉石出示别人。你暂且按照自己的意愿去做自己想做的事吧！"于是，马援来到北地种田放牧，他常对宾客说："大丈夫在穷困的时候，志气应当更加坚定；年老的时候，意气应当更加雄壮。"

经过悉心经营，马援很快就拥有了数千头牲畜和几万斛粮食。马援感叹说："财富增长，贵在能够施舍给有需要的人，否则就成守财奴了。"于是将家产全部分给亲友，自己则过着节俭的生活。

王莽新政后，天下大乱。隗嚣割据天水，自称西州上将军。三辅地区的许多士大夫为了躲避战乱，都归附他，隗嚣热忱相待，彼此以朋友之礼相交，所以势力颇为强大。马援听说隗嚣礼贤下士，于是前往投奔。隗嚣对马援非常器重，封他为绥德将军，让他参与筹划军国大事。

公孙述在蜀中称帝后，隗嚣为了决定去向，派马援去蜀中打探情况。马援和公孙述是同乡，自小便十分要好。马援本以为老朋友见面，公孙述会像往常一样与他握手言欢，畅叙别情。没料到，公孙述摆起皇帝的排场，还要对马援拜将封侯，马援婉言拒绝。后来，马援又去洛阳面见刘秀，刘秀的平易大度让马援敬佩不已。回到天水后，马援建议隗嚣归附刘秀，于是隗嚣送长子到洛阳做人质，表示归附之意，马援也一同来到洛阳。可不久之后，隗嚣听从部将的建议，割据陇西称帝。马援听说后，多次致信规劝，隗嚣不但不听，反而恼怒马援背叛自己。

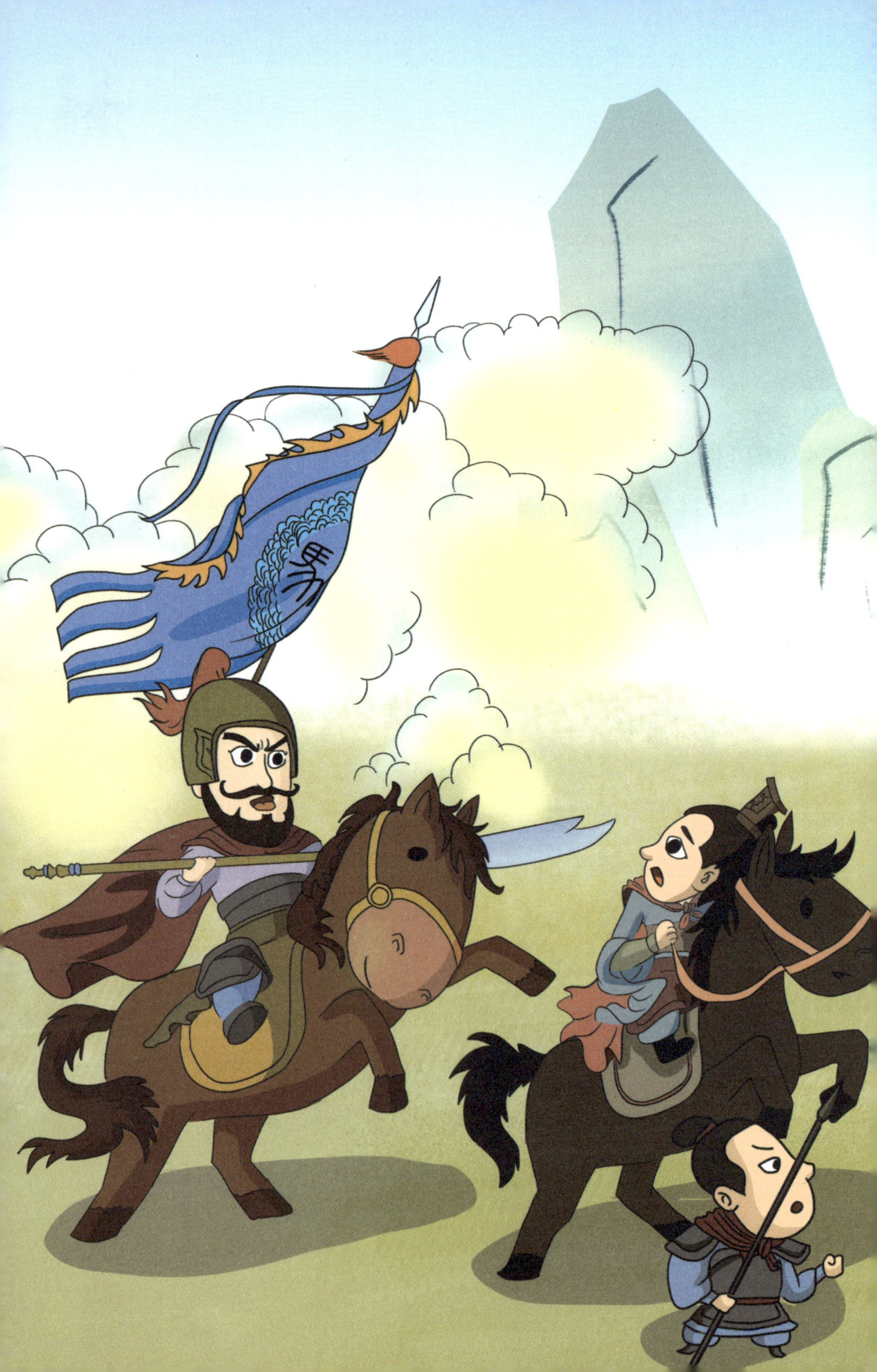

35年，刘秀任命马援为陇西郡守。从王莽末年开始，塞外羌族不断侵扰边境，官府制止不了。马援上任后，立即整顿兵马，率三千步骑出击羌人，迫使八千多羌人投降。此战，马援身先士卒，小腿被流矢贯穿。刘秀得知后，立即派人前往慰问，赐给他牛羊数千头。马援像往常一样，把这些都分给了部下。两年之后，羌人再次兴兵来犯。马援率四千人前往征剿，大败羌人。从此，陇右一带太平无事。

　　马援在陇西太守任上一共六年，对待部下宽大仁厚，所以部下都愿为其效力。在处理政务方面，马援注重分工明确，自己则总揽大局，手下官吏向他汇报公事，他会说："这是某某官员的分内之事，不用来麻烦我。太守的分内之事，是治理那些欺负百姓的豪强或者贪赃枉法的官吏。"

　　41年，越人征侧与征贰在交趾（今越南境内）称王，公开反叛东汉朝廷。刘秀任命马援为伏波将军，领兵南征交趾。马援沿着大海进军，长驱一千多里与征侧交战。汉军大破敌军，斩首数千，收降一万多人。马援乘胜追击，诛杀征侧、征贰，将首级传到洛阳，于是全境平定。马援因地制宜，参照东汉法律对越人进行治理，越人深感便利，以后一直沿用马援制定的制度。

马援得胜之后,被封为新息侯,凯旋之日,众多亲朋故友前去迎接。以富有计谋而闻名的孟冀在席间祝贺马援,认为马援功成名就,可以安享晚年了,马援回答说:"现在匈奴、乌桓还在侵扰北部边疆,我想请求出兵讨伐。男子汉只应战死沙场,用马革裹尸送回家乡安葬,怎么能躺在床上,死在儿女身边呢?"孟冀叹服。

不久之后,武陵蛮人发动叛乱,刘秀派去的平叛部队因为冒进深入而全军覆没。马援听说后,请命出征。此时马援已经六十二岁,刘秀认为他年事已高,不肯答应。马援不服老,对刘秀说:"我还可以披坚执锐,驰骋疆场。"于是披挂上马,向刘秀展示身手。刘秀笑着说:"真是一个精神矍铄的老翁啊!"于是应允马援出征之请。

马援死后受人构陷,被刘秀收回新息侯印绶。汉章帝时平反,追谥"忠成"。他的小女儿在汉明帝时被立为皇后,即史上有名的明德皇后。

【知识拓展】

明德皇后一生谦逊朴实、知书识礼，对明帝、章帝两朝的统治起了非常重要的作用。她从不提及父亲马援及兄长马防的功劳，还劝章帝不要给马家封侯，说："我回家看他们门前车水马龙的，不能再封了。"成语"车水马龙"由此而来。

明德皇后为汉显宗所编撰的《显宗起居注》，是历史上最早的专门记录皇帝日常言行的著作，开创了"起居注"这一史书体例。